D1180007

MÉMOIRE DU VIDE

MARCELLO FOIS

MÉMOIRE DU VIDE

roman

TRADUIT DE L'ITALIEN
PAR JEAN-PAUL MANGANARO

OUVRAGE TRADUIT AVEC LE CONCOURS
DU CENTRE NATIONAL DU LIVRE

ÉDITIONS DU SEUIL
27, rue Jacob, Paris VIe

Ce livre est édité par Martine Van Geertruyden

Titre original : *Memoria del vuoto*
Éditeur original : Einaudi
ISBN original : 88-06-18219-6
© original : 2006, Giulio Einaudi editore s.p.a., Turin

ISBN : 978-2-02-093403-9

www.seuil.com

À papa et maman, car il est bien temps

Première partie
Début du début

« Comment savez-vous que vous n'êtes pas lui ?
– Parce que je sais que je suis moi ! »

Les Mille et Une Nuits.

Invocation et protase

Et maintenant accorde-moi les mots.

La nuit du massacre, la pleine lune, grasse et moite, s'était tenue juchée des heures durant sur le dos des montagnes. Quelques nuages effilochés sur son front faisaient l'effet de cheveux ébouriffés. La lune était restée ainsi, en train de boire l'horizon découpé comme le bord d'une coquille d'œuf cassée en deux, paresseuse d'une paresse comme la Mort, comme si elle était dans son premier sommeil.

Puis, à un certain moment, elle s'était soulevée, indolente, soufflant contre la terre.

Une lune antique, arquant le dos pour s'étirer dans le silence et commencer son tour en retard, s'était grande ouverte au regard des insomniaques. Elle avait alors commencé à blanchir la campagne en chatouillant les poils phosphorescents des bêtes et en faisant scintiller les brins d'herbe comme des rasoirs. Elle avait traversé les vignes en incisant sur la plaque du ciel un golgotha de plantes crucifiées. Puis elle était passée par le village comme si elle y arrivait par hasard, en voyageuse distraite, pour donner une lumière fébrile au rouge des toits. Et elle pénétra dans le mortier des pavés pour en faire de l'argent précieux, et choisit des murs immaculés pour qu'ils le réfléchissent. Elle illumina les étreintes, oh, comme elle le fit ! Licites et illicites, blessant par de blancs coups de cravache la peau des amants, se glissant dans les fentes des portes fermées, s'insinuant entre les rideaux qui se frôlaient, giclant des claires-voies des volets rapprochés.

Plus loin, là où le terrain est toujours gras de vers de terre, elle fit briller les tombes de marbre comme des miroirs ardents et abattit sur le sol les ombres très noires des cyprès au garde-à-vous le long des allées, pour les faire couler sur les trottoirs. Ah, une lune maudite ! Qui chuchotait des malheurs, la nuit du massacre.

I.

(Où l'on raconte qu'une paire de chaussures
peut changer le destin d'un homme,
et que les prémonitions ont souvent une explication,
sans être, pour autant, moins importantes.
Où l'on raconte aussi la première séparation
de Samuele et la chute d'agneaux tombant du ciel)

Mais avant, des années avant cette nuit, il y avait eu en Ogliastra d'autres nuits. Ainsi que d'autres lunes. Il faudrait plusieurs vies pour les raconter toutes. Aussi faut-il se concentrer sur celle où, j'avais sept ans, je marchais sur la route avec mon père. Il avait bu, il chancelait un peu et se moquait de lui-même, de son allure incertaine.

C'était un dimanche. *Santu Sebaste*, la Saint-Sébastien.

Nous étions allés à un baptême : le septième enfant de Redento Marras. Entre Redento et mon père, il y avait un lien de Saintes Huiles, car le forgeron d'Elíni était le parrain de mon frère aîné, Gonario. Moi, je portais les chaussures de mon frère.

C'est ainsi que ça s'était passé : mon père, Stocchino Felice, et ma mère, Leporeddu Antioca, avaient eu une discussion sur l'obligation de prendre part à ce baptême, parce que Elíni n'était pas tout près de chez nous, il fallait quatre bonnes heures de marche à pied, et cætera et cætera. Et comme si la question de la route n'avait pas suffi, nous n'avions rien à offrir au nouveau-né pour lui souhaiter un sort heureux sur cette terre. Et pour un sort heureux sur cette terre on ne peut pas se présenter les mains vides à quelqu'un qui vient juste d'ouvrir les yeux sur le monde. Eh non, même les bergers les plus pauvres ne sont pas arrivés les mains vides à la mangeoire auprès du Christ et de la Sainte Vierge.

Quoi qu'il en soit, ma mère dit qu'on ne peut pas l'éviter : une obligation est une obligation, les Saintes Huiles sont un lien trop profond. Ne pas se présenter à la naissance du septième enfant d'un compère, d'un parrain, c'est quelque chose qui vraiment ne se fait pas. Ce serait comme de dire que le monde est renversé. Et mon père fait signe que oui, certes, on ne peut pas dire le contraire, mais quand il n'y en a pas, il n'y en a pas. Et même s'il y avait quelque chose à apporter au nouveau-né, avec le problème que mon frère Gonario, le filleul de Redento, a élimé ses chaussures, car ses pieds ont poussé du jour au lendemain, comment est-ce qu'on fait ?

Eh, dit mon père, Gonario je dois l'emmener, mais je l'emmène sans chaussures ? Ma mère et mon père se regardent : emmène Samuele, dit ma mère, que ce soit Gonario ou Samuele, pour les fois où Redento Marras a pu voir Gonario, son filleul, ça revient au même... Les chaussures vont bien à Samuele, emmène Samuele.

Les jours comme celui où mes parents décidèrent que j'accompagnerais mon père à Elíni pour la fête du baptême du fils de Redento Marras portent la marque du destin imprimée au fer rouge. On pense tout le temps que ce sont des jours exactement comme les autres.

Mais on se trompe, parce qu'il arrive des choses, et parfois on voit des choses qui ne devraient pas arriver, ou
que l'on ne devrait pas voir. C'est pour cela qu'on se dit
qu'il n'y a rien d'étrange, que tout est comme toujours,
pareil, mais ce n'est pas vrai. Par exemple, ce même
jour, pendant que mon père et ma mère cherchaient
à résoudre cette question du baptême, dans la cour
devant chez moi un agneau était tombé.

Comme ça, précipité du ciel. Exactement comme un
nuage, devenu très lourd, qui chute et s'écrabouille par
terre. Nous, les enfants, nous étions en train de jouer et
nous entendons alors un bruit sourd juste derrière
nous, et *tzia* Mena, tante Mena, qui crie. Puis d'autres
gens arrivent et tout le monde s'attroupe pour voir la
pauvre bête écrasée sur le sol.

Tzia Mena raconte tout : elle était en train de balayer
la cour, elle s'arrête pour reprendre son souffle parce
que sa santé n'est plus celle d'autrefois, elle entend
ensuite un sifflement, d'abord lointain, puis rapproché,
de plus en plus rapproché... Elle lève la tête et voit
que, venu du ciel, et elle en fait le serment sur ses
enfants et sur ses neveux, amen, est en train de tomber
un agneau. Que les agneaux ne volent pas est une chose
certaine, mais il est tout aussi certain que cette bête
sperrata, éclatée par terre, est tombée d'en haut.

Comment ça, d'en haut ? on se met à demander. Mais
tzia Mena ne cède pas ; eh là, je vous le dis, il est tombé
du ciel, de là-haut ! ô doux Jésus...

Il faut pourtant bien dire que cette femme n'était pas
vraiment quelqu'un à qui on pouvait faire confiance...

Passons. En tout cas, on vient vers nous, les enfants, vers moi et Luigi Crisponi et Giuseppe Murru, et on nous demande ce que nous avons vu : nous n'avons rien vu, mais entendu plutôt un déplacement d'air et ensuite un bruit réellement terrible, une sonorité sourde, comme un bloc lancé de loin ou un sac de patates jeté très fort sur le sol. Comme quand on glisse le cul par terre, et que, avant la douleur, on perçoit un bruit dense et tangible. Voilà, comme ça : peut-être que ce bruit pouvait correspondre à l'image impossible d'un animal terrestre pleuvant du haut. Et enfin, à l'église c'était plein de saints et d'agneaux qui se tenaient debout sur les nuages ; peut-être, dans ce cas précis, que cet agneau-là avait fait un faux pas. On sait, n'est-ce pas, comment les nuages sont faits, ils ont beau sembler solides, en réalité ils sont trompeurs. Au Paradis aussi il faut faire attention, ainsi suspendus au-dessus des têtes des mortels. Il fallait dire d'ailleurs que pour l'Apocalypse, d'après ce qu'on racontait, un bon nombre de crapauds étaient prêts à descendre justement du ciel sur les pécheurs. Et peut-être, alors, qu'on faisait un essai…

Quand Totore Cambosu arrive, la confusion est à son comble. Mais lui, qui est chasseur et connaît les choses secrètes de la Nature, dit de se calmer.

« Il n'est pas question ici de saints ou de nuages, et encore moins d'essais pour le Jour du Jugement. Ici, il est question de rapaces. »

Quand Totore parle, le silence devient lourd. Il se penche sur la bête par terre.

« Pour moi, dit-il en indiquant le dos blanc de l'agneau

où l'on voit des striures rougeâtres comme des coups de griffes, il l'a saisi par là, puis il a dû le laisser tomber. »

Nous regardons tous Totore Cambosu, c'est quelqu'un de fascinant quand il raconte...

L'affaire était simple : un aigle royal avait saisi un agneau du troupeau, en le soulevant en l'air d'un coup d'ailes. La pauvre bête avait commencé à s'agiter, le cœur lui explosait à l'intérieur des côtes, et la terreur lui avait serré le cou au point qu'elle ne respirait presque plus. Et d'autre part l'air était léger, là-haut. De toute façon, l'agneau avait réussi à voir depuis le ciel des choses très grandes devenir toutes petites : le berger qui, déconcerté, rassemblait les autres agneaux et agitait son bâton en l'air ; le mouton qui, *conc'a susu*, la tête en l'air, humait le mistral ; le chien berger qui aboyait comme devenu fou, cherchant à voler en faisant des bonds. À la fin l'agneau a vu sa mère *berbeche*, la brebis, qui continuait à brouter au milieu du troupeau sans aucune affliction, car depuis que le monde est monde c'est toujours la brebis qui pleure... Ainsi pendant un instant l'agneau a expérimenté ce dont il était capable, mais il a dû ensuite penser que pour être un aigle il faut des ailes. Et il a tenté de voler... Ce qui a dû enfin se passer, c'est que l'aigle était jeune, de ceux qui ont les yeux plus gros que le ventre. Et sans doute il ne s'est même pas rendu compte que l'agneau qu'il avait choisi était plus lourd que ce qu'il pensait, d'autant plus que la pauvre bête qu'il avait saisie par la toison s'agitait et ne l'aidait vraiment pas, alors, sentant qu'il n'arriverait pas à ramener sa proie sur la falaise, il a abandonné sa prise...

La suite, on la connaît.

Puis, dans la confusion, Missenta Crisponi est arrivée aussi, elle craignait que Luigi n'ait fait des siennes et on lui a parlé de l'agneau et elle s'est alors tournée vers son fils, puis elle a pâli, et nous on ne s'en était même pas rendu compte mais Luigi avait une tache du sang de l'agneau juste au milieu du front. Aussi Missenta le saisit, puis elle crache dans un coin de sa *franda*, de son tablier, et, en frottant fort avec l'étoffe humide, elle lui ôte le sang du front. *Tzia* Mena et les autres femmes se signent : saint Antoine... Que va-t-il arriver maintenant ?

Et ce sera quand, deux jours plus tard ? Luigi Crisponi, qui était mon ami, perd son père. Lui, ce père, il l'a peu vu, peut-être deux fois en sept ans, peut-être trois, qui sait... Ce qui est certain c'est que, quand on lui dit qu'il est mort, il n'arrive même pas à se rappeler comment est son père. Oui, certes, Bartolomeo Crisponi était grand, et après ? Et après c'est tout, et quand on lui demandait comment était son père, il disait qu'il était grand et qu'il travaillait à la mine, c'est tout. En tout cas, Luigi le comprit immédiatement, ce qui est étrange c'est que, bien qu'il n'ait pas eu de visage dont se souvenir, sa douleur était la même. Et pourtant, lui a dit une fois Serafino Musu, si t'as neuf frères ton père a dû revenir chez toi un peu plus souvent... Mais Luigi le regarde comme pour dire qu'il ne comprend pas, et moi, je fais signe à Serafino de fermer son clapet. Lui, Serafino, est plus grand et il sait les choses. Aussi

18

décide-t-on qu'il est inutile de continuer, mais Serafino insiste.

« Mais ta mère ses enfants, tes frères et tes sœurs, où les a-t-elle trouvés à ton avis ? » s'exclame-t-il.

Luigi Crisponi regarde autour de lui, puis il met la main sur sa bouche et il écarquille les yeux.

Entre-temps, du Puits numéro Neuf à Montevecchio on est en train d'extraire le corps de son père mort depuis quatre jours. Et le mort lui aussi a les yeux écarquillés. Comme disent toujours les personnes âgées, quand on meurt dans le noir on cherche la lumière. Le père de Luigi Crisponi, le destin l'a enterré avant qu'il meure. Et alors, sans doute pour surmonter cette obscurité terrible, et sans doute aussi pour supporter le goût de la terre éboulée qui était arrivée dans sa bouche, il avait ouvert les yeux au-delà de toute expression, comme pour trouer la toile compacte des ténèbres.

Rendu dans une caisse en bois de mauvaise qualité, ce monument qu'est Bartolomeo Crisponi arrive chez lui un matin de janvier. Le cercueil est cloué. Mais Missenta ne veut rien entendre, elle ne supporte pas de rester à regarder une bière clouée et demande à ce qu'on l'ouvre, parce qu'elle veut voir son mari une dernière fois. Et les autres de lui dire de n'en rien faire, qu'il vaut mieux se rappeler les vivants. Missenta fait signe que oui, mais elle pense que non. C'est elle qui sait et c'est elle qui décide…

Alors on décloue le couvercle du cercueil pour faire voir le mort à sa femme Missenta. Maintenant que le sang a disparu, Bartolomeo a une carnation lunaire, presque brillante, comme quand il était enfant, la peau lisse d'une jeune fille.

Bartolomeo apparaît sans plus de nerfs à cause de la mort, les yeux fermés de force par le médecin de la mine, mais il reste beau. Il n'a même pas gonflé. À le voir, il ne semble même pas mort. Sévère, sec et massif, comme un tronc phosphorescent de bouleau, comme un moulage de plâtre abandonné. On dirait qu'il est fait d'une matière inerte et en même temps organique : une grosse larve toute blanche, éclairée par sa propre lumière, enveloppée d'une toile sale.

Missenta fixe son mari, puis elle cherche du regard l'approbation des voisines : vous comprenez vous aussi, tout le monde le comprendrait que, tel qu'il est, avec la terre incrustée sous ses ongles, le visage mal nettoyé et encore barbouillé de suie, ce pauvre Christ ne peut être enterré. Aussi les femmes le déshabillent après l'avoir étendu sur la table de la cuisine.

Bartolomeo, nu comme Adam, est prêt à recevoir de tendres soins. Et il est grand : ses jambes sur la table dépassent de presque tout le mollet. Ses pieds sont noueux.

La mère de Luigi Crisponi ne veut personne dans sa cuisine. Elle veut rester avec le corps de son mari mort. Aussi les voisines emmènent-elles les enfants chez elles : elles les nourrissent de pain de ménage et de lait.

Une fois seule, Missenta commence à examiner ce corps qui, bien qu'à elle, n'a jamais été à elle.

Elle ne se souvient pas qu'ils aient jamais été dans une intimité plus profonde qu'à cet instant-là, elle et son mari, ils ont pourtant mis au monde neuf enfants. Elle commence à le nettoyer avec un chiffon tiède. Elle est inquiète d'une inquiétude tenace, elle s'attarde dans les détails : les ongles noirs, le charbon dans les rides du front.

Quand elle a fini, épuisée, elle s'assoit, les mains sur les genoux.

Ce corps inerte, propre, lui donne soudainement la mesure de sa douleur. Qui est terrible. Et subtile. Mais c'est aussi une douleur franche et profonde. Presque tranquille... Comme avant un vertige. L'instant qui est stabilité absolue, plus encore que paix, avant la chute. Elle, Missenta Corrias, à présent veuve Crisponi, c'est ainsi qu'elle voit cette douleur : sérieuse, comme un enfant qui boude.

Alors elle se lève. C'est là, debout, qu'une pensée lui vient à l'esprit. Missenta se penche sur la bouche de son mari pour l'embrasser. Ses lèvres effleurent sa bouche, froide comme de la glace, mais douce. Encore, imperceptiblement, salie de terre aux commissures. Bartolomeo se laisse faire et semble langoureux et détendu, on dirait même que, pour une fois, il apprécie l'initiative de sa femme.

Il a été facile de l'embrasser, entre la pensée de le faire et le faire s'est écoulé l'instant parfait.

Puis c'est arrivé.

Soudain, les paupières de Bartolomeo s'ouvrent grand. Ses yeux sont vides, un regard sans regard, comme s'il avait un ailleurs inconnu à scruter.

Missenta voudrait hurler. Mais il arrive quelque chose de pire : elle se sent défaillir, elle perd connais-

21

sance, elle sent qu'elle est en train de tomber par terre, elle tombe et, en tombant, elle s'agrippe au corps de son mari et le tire sur elle.

Un bruit d'enfer! Qu'est-ce que c'est que cette horreur? Que se passe-t-il, nom de Dieu et par tous les saints? Quelqu'un frappe à la porte de la cuisine: Missé... pour l'amour de Dieu, ouvre... Missé, qu'est-il arrivé? Mais la femme est pétrifiée, il ne s'agit même pas de terreur, c'est quelque chose de plus profond, comme un sentiment de perdition. Comme quand on glisse à terre, justement, et que l'on ne se rend pas compte que l'on glisse, mais qu'on se laisse aller presque volontairement, juste pour ne pas laisser le hasard nous vaincre. Le corps nu de son homme la couvre avec une impudicité qu'il n'a jamais eue. On continue à frapper, mais la tête de Missenta s'en va ailleurs... Allez lui expliquer que Bartolomeo est mort. Elle ne le croira jamais, jamais, jamais, jamais...

L'instant parfait. Et le vertige. Ce vertige particulier de Missenta a reçu une série infinie d'interprétations, mais uniquement trois noms: vertige, justement, au seul instant où Missenta elle-même a pu le penser et lui donner donc un nom; puis attaque d'apoplexie, par le docteur Milone, après l'analyse visuelle du cadavre; et « cœur brisé » par tous les autres.

En somme, quand on abat la porte de la cuisine, la seule chose à faire c'est de commander un autre cercueil. Économique.

Puis, un matin, un officier de justice apporte des papiers aux Crisponi parce qu'ils doivent quitter la maison qui n'est pas à eux, mais on ne sait même pas à qui elle appartient vraiment.

Luigi, cette même nuit, a fait un rêve.

Il a rêvé qu'il y avait un bruit terrible, un fracas vraiment insupportable, aussi avait-il porté ses mains à ses oreilles, mais le bruit, au lieu de cesser, croissait, il croissait. Puis, dans le rêve, c'était son père englouti par la terre. C'était son père et il essayait de hurler, mais il ne parvenait à rien faire d'autre qu'à écarquiller les yeux. Oh, vous voyez comme cela arrive dans les visions, et que l'on croit vraiment à ce que l'on rêve comme si c'était vrai. Et vraiment Luigi, sous l'emprise de ce rêve, croyait ne pas pouvoir respirer et croyait qu'il n'y avait aucune manière de déchirer l'obscurité. Il croyait que son père, comme cadeau dû pour tous les cadeaux qu'il ne lui avait jamais faits, lui était venu en *b*ision pour lui raconter l'horreur assourdissante de la mort lente. Luigi crut qu'il pouvait se voir lui-même dans l'espace blanc des yeux grands ouverts de son père, qui étaient la seule source de lumière à l'intérieur de ces ténèbres épaisses. Et il crut aussi que tout ce rêve, qui continuait à être une réalité et son opposé, était comme une sorte de consigne que son père moribond, les yeux écarquillés, la bouche pleine de terre, encrassé et noir de poussière de charbon, était en train de lui laisser. Même si Luigi ne savait pas dire en quoi consistait exactement ce legs.

Puis le fait est qu'une fois réveillé il cessa de se poser des questions. Le fait est que l'inutilité absolue de revendiquer quoi que ce soit fut claire pour lui. Et il comprit que le legs de son père était de se montrer docile dans l'adversité... Et il comprit que sa mère était morte parce qu'elle avait résisté, parce qu'elle n'avait pas molli.

Luigi pensa, mais pas tout de suite, des années passèrent, il pensa que sa mère était morte parce qu'elle avait cru pouvoir bouleverser le dessein précis de son existence inutile. Et qu'une existence sensée coûte des milliers d'existences qui n'ont pas de sens. C'est son père qui le lui avait murmuré en lui parlant depuis le blanc de ses yeux, en le regardant depuis l'enfoncement, depuis l'intestin merdeux de la terre mère.

Et il est certain encore que les choses ne viennent jamais seules, non, jamais seules. Parce qu'une semaine n'est pas encore passée et on dit que, Luigi, on l'emmène à Cuglieri, à la Maison de l'Enfant. Et lui, il dit : je m'enfuis et si on me reprend je m'enfuis, et chaque fois qu'on me reprend je m'enfuis. Et moi, j'ai presque envie de pleurer.

De toute façon, le jour où il doit partir, Luigi a une forte fièvre, la voisine qui l'a en garde attend les carabiniers devant sa porte pour dire que le petit, pauvre créature, est malade, qu'elle n'a aucun problème pour s'en occuper, et qu'elle aimerait bien voir si dans un orphelinat on va mieux le traiter. Mais les carabiniers lui disent de bien couvrir le Crisponi Luigi de feu Bartolomeo parce que la loi c'est la loi et qu'il n'y a pas à discuter.

Et alors, par la fenêtre de chez moi, j'ai vu partir Luigi, sans discussion et, si ce n'avait pas été que ma mère était elle aussi à la fenêtre, j'aurais vraiment pleuré.

Domo rutta, foyer brisé. Une famille entière dissoute dans le néant. Mais ensuite la meule tourne, disait ma mère, et même le mauvais sort s'éloigne, tôt ou tard.

Pourtant, ce n'est pas vrai que pour un enfant le concept soit si clair, celui du mauvais sort qui se détourne, je veux dire. Ce matin-là, debout, devant la fenêtre qui donnait sur la cour des Crisponi, alors qu'ils emmenaient Luigi, je pensai qu'il y a des séparations assassines comme des mains qui vous étranglent. Et puis je pensai au trésor de papier argenté et aux fonds de bouteilles que nous avions enfouis à trois pas de l'entrée de l'enclos de Puddichinu, et aux frondes pour frapper les verdiers, et à cette fois où le maître Serusi nous avait mis la pancarte ÂNES CHAUSSÉS ET HABILLÉS et où il nous avait obligés à faire le tour des classes, même chez les filles... En somme, je pensai à ces choses auxquelles on pense quand quelqu'un meurt. Et c'est comme si toute séparation revenait à pleurer un mort.

C'est peut-être que je n'ai jamais aimé changer les choses. J'ai toujours été de ceux qui s'angoissent devant les changements. Mon père croyait que cela était dû à l'âge. Eh, disait-il, j'étais encore un enfant, même si à sept ans il faudrait déjà s'être fait une idée du monde. De toute façon, disait-il, mon idée du monde n'en était pas exactement une, car dès qu'on arrive à le comprendre, le monde, la première chose que l'on comprend c'est que tout est un ensevelissement de morts. Donc, disait-il, je devais rester tranquille, car ce qui semble être des changements dans l'enfance, une fois que l'on est devenu grand, c'est toujours la même chose : naître et mourir et ainsi de suite.

II.
(Où l'on raconte un long voyage à pied
et le retour)

Et le jour du baptême arriva.

Pour le cadeau, mes parents prirent à crédit une mesure de gros sel gris, une mesure de sucre non raffiné et une mesure de grains de café à griller. Comme en son temps avait fait Filomena Marras, femme de Redento. Car lorsqu'on reçoit un présent l'obligation est ensuite de le rendre. Et dit ainsi, c'est comme si on faisait un cadeau pour le récupérer, mais c'est seulement qu'on ne peut pas dépouiller un nouveau-né en arrivant les mains vides. Ici, le fait est que les occasions doivent être honorées. Honorées, comme Honneur. Même si l'on n'a rien, quelque chose pour l'Honneur du baptisé, du communié, du confirmé, des époux, du mort, on finit par le sortir, allant parfois jusqu'à faire des dettes comme c'était arrivé à mes parents. Et cela vaut pour toujours, parce que c'est une de ces choses qu'il n'est pas nécessaire d'enseigner.

Qui sait les choses dit que le sel est la preuve de la mer qui respire, pour ceux auxquels il ne suffirait pas de l'entendre haleter les nuits d'automne. Il a une saveur qui ne peut être supportée seule. Il est cristal, joyau fugace, soluble.

Le sucre est la preuve de l'Éden. Le trésor fatal. Celui qui perdit Adam. Pour ceux qui ne croiraient pas qu'il peut y avoir du bonheur sur terre. Du doux vient tout l'amer. Du bien, tous les maux. Il est flocon de neige dissous.

Le café est la preuve que nous sommes centre et frontière et à l'intérieur de la frontière il y a un centre encore et à l'intérieur de ce centre une frontière encore. Le café est une graine qui voyage transportée par les océans, où il y a des centres encore et encore, encore, inexorablement, des frontières. Le café est le don de la sueur de femmes penchées. Il est terre brûlée poussiéreuse.

Les voilà, les effroyables fruits du sang, pour le viatique du nouveau-né.

Les vieilles chaussures de mon frère me portèrent donc loin, peu après Elíni, dans l'enclos de Redento Marras où se tenait la fête. Et la fête était une odeur qui venait à notre rencontre, plus que le brouhaha, plus que les rires... C'était une odeur de chair, presque amère, presque douce, qui venait du centre de la clairière où sommeillait un feu de braises. Des gardes-cuisiniers faisaient rôtir agneaux et porcelets debout et se versaient du vin à ras bord pour affronter la chaleur du four. Puis il y avait des jeunes filles à marier qui offraient des *pistocos*, des biscuits, de leurs paniers et des femmes mûres, des mères de famille, qui versaient du café fumant.

Voilà, tout avait une odeur. Tout se répandait à l'entour. C'était une odeur savoureuse, qui paraissait pouvoir rassasier rien qu'à la humer...

Nous arrivâmes à la maison. Filomena, la femme de Redento Marras, nous fit asseoir à l'intérieur. Elle nous dit surtout de nous asseoir, car nous étions fatigués : toute cette route à pied pour les honorer était un double honneur, dit-elle. Mais nous restâmes debout, Filomena nous répéta de nous asseoir. Je regardai mon père. Mon père me fit signe que oui et je m'assis. Filomena me fixa, fronça les sourcils.

« Compère, dit-elle s'adressant à mon père, mais ce n'est pas Gonario ! »

Mon père confirma de la tête :

« Avec tout mon respect, commère, sans vouloir vous offenser, mais Gonario est garçon berger en ce moment et nous ne pouvions pas l'arracher à son travail, il a maintenant neuf ans et il doit apporter sa contribution à la famille... Ne pouvant pas emmener Gonario j'ai emmené Samuele... »

Filomena me toisa comme si elle devait faire mon portrait. « Il s'est fait beau lui aussi... » commenta-t-elle en s'adressant à mon père. Puis elle me regarda encore : « T'as mangé ? » me demanda-t-elle. Je fis signe que non.

Ensuite, la fête.

Nous avions assisté à la multiplication des pains et à la transformation de l'eau en vin. L'après-midi s'en allait enroué par les hurlements des joueurs de mourre.

Alors le maître de maison versa à mon père un autre verre et lui dit que, puisqu'il faisait désormais noir, et que, pour l'enfant, il se faisait tard, avec toute la route que nous avions à faire pour revenir chez nous, il valait mieux que nous restions dormir là.

« Ce n'est pas pour dire, mais il est tard pour cet enfant... »

Mon père, me cherchant des yeux, avala le vin et dit que c'était vraiment un trop grand dérangement, et que de toute façon je n'étais pas un enfant, et que lui, à sept ans, il gardait déjà le bétail de don Benedetto Mulas.

« Vous parlez d'un enfant !... Moi, à son âge...

– Et alors, lui dit-il, compère, c'est mieux que vous restiez, comme ça nous serons tous plus tranquilles, écoutez-moi pour une fois, il y a la place.

– Compère, conclut alors mon père, vous savez déjà qu'on ne va pas se fâcher pour ces choses-là : on vous remercie encore, mais si Antioca ne nous voit pas rentrer, elle va se faire du souci... Nous allons pour de bon nous mettre en marche et longue vie au baptisé. Adieu à vous. »

Ainsi mon père, sans poursuivre la discussion, me fit signe de quitter les jeux parce que nous allions rentrer. Nous nous mîmes en route vers la maison, moi avec mes vêtements de fête et les chaussures qui avaient été celles de mon frère, et mon père avec une cuite joyeuse.

Le long de la route du village étaient exposés les *pregoni*, les portraits et les mises à prix des recherchés. Sur les affiches, ces visages fiévreux, comme ceux qu'ont les martyrs, ou les bandits précisément, nous regardaient avancer vers la campagne. Qu'ils fussent vivants ou morts. Mon père commença à parler de Giovanni Tolu, qui, le cœur battant, comme le bandit Épaminondas, le héros spartiate contre les Perses, avait résisté à l'assaut des nouveaux codes. Il se faisait glissant comme une couleuvre quand la Force publique essayait de le saisir à mains nues. Et il avait pardonné plus que condamné, loin d'être féroce et sanguinaire. Lui. Tolu Giovanni, de Florinas, il s'était fait courant d'air lorsqu'ils avaient jeté leurs rets sur lui, il s'était fait eau lorsqu'ils avaient essayé de le débusquer avec le feu. Lui, Tolu, le non mort, il s'était enraciné, comme un arbre séculaire, dans notre chair. C'est ce que dit mon père qui l'avait connu déjà vieux.

Pendant ce temps, la nuit avançait à notre rencontre en galopant parmi les chênes de Santa Barbara et la lune éclatée sur la mer en face de Tortolí. Et il y en avait du chemin à faire ! Ta mère va pas nous laisser entrer, dit mon père en marquant la terre sèche de son brodequin. Puis il rit.

La nuit de la Saint-Sébastien, martyr de la Foi, attaché à la colonne et transpercé par les archers de l'empereur, était froide. Car, dit mon père, la justice habite les maisons des riches. Et la foi du pain noir, celle des gens simples, n'est qu'une histoire oubliée.

Marchant dans la clarté sèche de la lune nous parvînmes à la maison d'Emerenziano Boi, le tonnelier. Une faible lumière venant des fenêtres de l'atelier nous apprit qu'il travaillait encore. Mon père frappa trois fois comme le font les pèlerins. Il demanda de l'eau.

« À cette heure-ci, je n'ouvre à personne, cria le tonnelier de l'intérieur, vous seriez les apôtres en personne, je n'ouvre pas », répéta-t-il.

Alors mon père donna son nom et son patronyme, pour qu'il le reconnaisse : « Stocchino Felice de Bernardo de ceux des Crabile, dit-il, l'eau est pour l'enfant qui a soif, nous revenons du baptême du dernier-né de Redento Marras, un bel enfant, vraiment, Dieu le bénisse...

– Allez au ruisseau, dit le tonnelier.

– Il y a encore une heure de marche avant le ruisseau, insista mon père.

– Pour une heure, jamais personne n'est mort », répondit l'autre, et il éteignit sa lampe.

Mon père cracha par terre. J'y arriverai, dis-je alors, j'y arriverai, et je me dirigeais déjà vers la maison. Mon père ne bougea pas, on aurait dit qu'il attendait une chose dont il savait qu'elle n'arriverait jamais. Puis il cracha encore par terre et, avec la pointe de son brodequin, il fit une marque sur le terrain devant la porte de la maison du tonnelier.

À la raconter, cette nuit semble peu de chose, car les nuits ne peuvent être racontées. On ne peut pas raconter les odeurs pénétrantes des plantes qui s'ébrouent et secouent la lumière du jour à peine passé ; l'odeur des bêtes qui errent à la recherche de nourriture. On ne peut raconter le fracas des baies qui tombent sur le sol, abattues par la secousse agaçante de la tramontane. Même le bruit sec des pas sur le sentier torturé par les roues des charrettes n'est pas racontable. Car chaque pas donne forme à un nuage de poussière rouge comme l'haleine de « Luzifer » quand il comprit qu'il était précipité du ciel. Chaque nuit est l'image du remous, une descente suffocante, une mémoire de l'abîme.

Nous marchions en silence, tendant l'oreille pour essayer de percevoir l'eau courante de la source avant d'y arriver. J'étais vraiment assoiffé, mais je ne disais rien, je craignais de mettre mon père en fureur...

Cette nuit résonnait comme une toiture de tôle, au-delà des montagnes, sur la mer, au large, le Tumbarino orchestrait un orage. Nous l'entendions de loin, ouaté, comme si nous étions deux laissés-pour-compte tenus à l'extérieur du cercle de la fête et à qui parviennent les rires et les bals. Cette tristesse change le monde, renverse la terre comme la main de Dieu qui, fouillant et entaillant le sol, ramasse une immense bouse de vache. Comme la lame d'un soc qui forme des vagues de terre.

C'est alors que nous vîmes le cerf.

Mon père marchait la tête baissée en ruminant son mécontentement. J'avais passé ma main dans sa poche, il me l'enveloppa de l'extérieur, on y est bientôt, murmura-t-il. Le vin s'était évaporé de son cerveau et avait fait place à une sourde rancœur. Dans sa main je sentais les battements furieux de son cœur. Même pas de l'eau, marmonnait-il en lui-même, même pas de l'eau... C'est alors que nous vîmes le cerf. Luisant comme une pierre dure. Je sentis que mon père me retenait, je levai les yeux, je le vis. La bête aussi se retourna et nous regarda comme si elle savait qu'elle portait en elle la noblesse des siècles, comme si c'était une âme messagère. Je vous attendais, dit ce regard : toi, Felice, et toi, Samuele, je vous attendais. Ce regard raconta douleur et sang. En tout semblable à celui de l'archange annonciateur qui prédit les sept épées de douleurs à la Vierge Marie.

Ce fut alors que mon père couvrit mes yeux de sa main. À l'intérieur de cette obscurité chaude je connus mon destin : la solitude, la mort des affections, le grondement de la vengeance.

Cela eut lieu la nuit du 20 janvier 1902. Le matin suivant, Gesuina Líndiri veuve Boi, la mère du tonnelier, sortit de sa maison ; elle avait dans son tablier des grains pour les poules et des pelures de pommes de terre pour les cochons. Un vent maléfique ne laissait aucun répit, les feuillages des arbres sifflaient comme des cravaches. La femme essaya de retenir son grand foulard qu'un coup de vent arrachait de sa tête, elle lâcha son tablier et le contenu s'éparpilla dans la cour, les grains étincelèrent en suivant une spirale invisible, les pelures planèrent quelques instants avant de glisser par terre. La vieille Gesuina, qui n'était guère plus qu'un petit sac d'ossements, fut presque jetée sur le sol, elle eut juste le temps de s'accrocher à un anneau enfoncé dans le mur de la maison, de ceux qui servent à attacher les bêtes. Son foulard s'envola, désormais abandonné à son destin. La tête nue comme une pénitente, les jupes qui lui collaient au corsage, la femme regarda autour d'elle. C'était un matin violet. Elle se signa. Puis elle vit le sillon. Un S sur le sol.

III.

(Du moment où Antioca découvre qu'elle est enceinte
pour la quatrième fois
et implore la Vierge de ne pas avoir d'autres enfants)

15 août 1894, Antioca Leporeddu, femme de Felice
Stocchino, se lève de bonne heure. Elle sait bien ce
qu'elle a fait, et qu'elle a laissé faire, quelques nuits auparavant. Et elle a décidé de s'en occuper. L'air est presque
froid malgré la mi-août, mais pour les anciens c'est justement à partir de l'Assomption que l'on comprend comment sera la saison froide. Il faut donc s'attendre à
ce que l'hiver montre ses griffes. Le ciel est d'étain,
comme la surface d'une vieille louche enfumée. Même
les oiseaux ne chantent plus. Et la lune semble se défaire.
Voilée, exactement comme la Vierge. C'est un silence tellement plein qu'on aurait envie de crier. De la chambre
où dorment ses enfants ne parvient aucun bruit de respiration. Tout le monde retient son souffle, la terre elle-
même retient son souffle. Y compris les feuilles. Antioca
ne peut entendre que le battement de son cœur. Elle sou-
pire pour se calmer mais cela ne sert à rien... Elle a
ouvert le coffre où elle garde le seul vêtement convenable
qu'elle possède. Elle l'étale sur la table de la cuisine
comme pour imiter la dépouille d'une défunte aimée.
Elle se déshabille une pièce à la fois parce qu'elle a honte

34

d'elle-même. Elle se lave avec le chiffon humecté dans l'eau de la cuvette. Après avoir lavé la partie supérieure, elle fait tomber sa chemise de nuit en la laissant glisser le long des cuisses. Quand elle ôte ses culottes, elle voit quelque chose qui ne lui plaît pas : le linge qu'elle a entre les jambes est trop propre. Sur ses doigts, Antioca Leporeddu, mère et femme dévote, fait son calcul primordial. Mais en dehors de n'importe quelle arithmétique, elle connaît les opérations parfaites de la Nature. Et alors elle doit faire ce qu'elle a décidé.

Lorsqu'elle réveille Genesia, qui est sa fille déjà grandette, elle est habillée de pied en cap, la tresse enroulée *a curcuddu*, en chignon, et le *mucadore*, le grand foulard bien arrangé. Elle semble presque belle, Antioca, dans ses meilleurs vêtements.

« Réveille-toi, t'as de quoi faire, murmure-t-elle presque dans un cri à Genesia.

– Hein ? » Genesia la regarde comme si elle ne savait même pas qui elle est, pendant un instant elle a perçu l'image d'une belle dame qui lui touchait l'épaule.

« Hein, hein », répond Antioca en la singeant. « Moi, je m'en vais. Je t'ai tout laissé à la cuisine. »

Genesia a les paupières collées comme un chaton. « Mais où allez-vous ? murmure-t-elle.

– J'ai quelque chose à faire ; ton père, laisse-le dormir, il ne peut pas toujours se le permettre. »

Genesia fait signe que oui, mais ensuite c'est comme si elle se ravisait. « S'il me pose des questions, qu'est-ce que je lui dis ? demande-t-elle en s'asseyant sur le lit.

– Dis-lui que je suis allée à Notre-Dame-de-l'Assomption, à Orgosolo, avec le curé.

35

– Vous m'aviez dit que vous m'emmèneriez moi aussi, s'assombrit Genesia, en comprenant alors seulement l'heure et le jour.

– Oui, oui, mais comment faire ici... Je t'ai déjà tout préparé. Je reviens ce soir. Et fais attention à ton petit frère, qu'il te fera tourner en bourrique si tu le laisses faire. Et papa, ne lui mets pas de fromage dans son bouillon, tu sais qu'il ne l'aime pas. »

Genesia acquiesce. Elle a compris que dans toutes les indications de sa mère il y a une anxiété silencieuse.

« Lavez-vous comme il faut, continue Antioca, non pas comme vous faites toujours, des toilettes de chats. »

Genesia est maintenant debout, du sol lui parvient le rythme somnolent de la maison. Une aube très pâle se prépare.

Antioca franchit la porte comme si elle était en train de se fuir elle-même. Hors de ces murs, il y a quelqu'un d'autre, quelqu'un qui sait ce qu'il faut faire. À l'intérieur, presque rien ne paraissait possible. À présent, tandis qu'elle se hâte pour rejoindre le parvis de l'église, tout semble vrai. Et juste.

La première voiture de poste chargée de pèlerins vers Notre-Dame-de-l'Assomption est déjà partie. Mais il y a encore le char à bœufs qui en cinq, six heures maximum conduit à Orgosolo pour la procession. Neuf femmes sont montées dans le char. Antioca est la dixième.

La nuit se dissout alors que le char vient de dépasser le lavoir et elle a peut-être été engloutie par ce miroir d'eau bourdonnante. On entend maintenant tous les sons : les sabots ferrés des bœufs, et aussi le grincement des mâchoires des freins métalliques rajoutés pour moderniser le char et essayer de le rendre plus apte à amortir les trous. Mais pas suffisamment : cette condition précaire, cette gêne, ce voyage inconfortable, ressemblent pour Antioca à un goût prémonitoire de la toute-puissance de la Vierge qui a compris quelle épée la transperce.

De toute manière, le voyage est long. C'est un tourment inénarrable de cahots et de cailloux. C'est un grincement constant de bordages métalliques qui cuirassent le bois. Des soubresauts infernaux le long de la direction nord-ouest.

« On va prendre la route de Corr 'e Boe », annonce le propriétaire du char et des bœufs. Le curé, dans l'urgence, l'a réveillé en pleine nuit pour lui demander de lui rendre service en transportant à la procession les pèlerines que la voiture de poste, surchargée, a laissées. « Vous avez pris de quoi vous couvrir ? Qu'on est saisi là-bas d'un froid du diable. Et même si c'est le mois d'août, il n'y pousse pas une seule plante. »

Pas d'été ni de printemps à Corr 'e Boe, dit la légende. Rien que des automnes et des hivers.

Les femmes disent que oui, que l'on prenne par cette route si c'est la plus courte... Et d'ailleurs il n'y a pas beaucoup de possibilités : soit on se dirige vers la mer, soit on se dirige vers la montagne. Dans le premier cas, on fait une ou deux heures de bon voyage, puis commencent les douleurs et on grimpe et on descend et il y a des tronçons en pente. Car, même si l'on dit « vers la mer » ce n'est pas exactement de mer que l'on est en train de parler, mais de monts qui se jettent dans les vagues. Et on voyage en fait au sommet des montagnes même s'il suffit de jeter un coup d'œil pour voir les plages. Dans le deuxième cas, les douleurs sont constamment réparties pendant tout le trajet. Comme dans la vie. C'est une montée lente mais constante, puis une descente du col vers la plaine, puis encore une remontée...

Les femmes disent que oui, qu'elles ont de quoi se couvrir.

Antioca regarde la terre qui accouche de la lumière. Elle a un tourment à l'âme qui la suffoque presque. Elle est ballottée dans le remous des arbustes desséchés par un gel très précoce; avec l'odeur sèche des feuilles déjà craquantes qui deviennent poussière sous la pression des lourdes roues et sous les sabots des bœufs.

« Dommage pour le Rosaire, dit l'une.

– Eh, mais on peut le réciter nous aussi... non? réplique une autre.

– Oui, mais avec le père Marci c'est autre chose, insiste la première.

– Oh, oh... intervient une autre. Ce n'est pas bien pour les âmes de penser ce genre de choses.

– Eh, je comprends ce que tu entends par là, est obligée d'admettre la première. Mais je voulais dire qu'il est bien dommage qu'on ne peut pas faire comme l'an dernier dans la voiture de poste... Ça a été beau et le voyage est vite passé... »

On dirait des voix d'abeilles qui bourdonnent. Tout paraît étranger à Antioca. Il y a deux Antioca, cela nous l'avons dit. Il y en a une sans peur, qui peut regarder la peureuse comme si elle volait à un pied au-dessus de sa tête. Antioca lève son regard au-dessus d'elle-même : la conversation entre les autres femmes, d'abord animée, se perd peu à peu dans le silence.

Et alors, Antioca et Antioca commencent à se parler.

Maudite, dit l'une à l'autre, tu t'es laissé engrosser comme une gueuse. Qu'exigeais-tu, que le mâle se retire ?

Chienne ! dit l'une à l'autre. Chienne mille fois.

C'est bien, dit la courageuse, alors, tu es en train de faire ce voyage, mais en réalité ça ne te sert à rien, quand les choses sont écrites, elles sont écrites et c'est tout. On n'a pas besoin de toi pour les effacer.

Si la Madone veut m'aider, elle le fait, elle tourne son regard de pitié vers moi...

La Madone a d'autres choses à regarder que les chiennes en chaleur...

Non, non... La Madone entend aussi le battement, elle entend le soupir, elle entend le bruissement... et elle se tourne pour le regarder.

Honte, honte à toi, Antioca Leporeddu, tu t'es fait avoir comme un rat... Eh eh eh.

Antioca fait un geste comme pour chasser ce rire. Les femmes sur le char, curieuses, la regardent.

« Elle, Notre Dame, elle sait ce que nous demandons en notre cœur, dit-elle soudainement pour répondre à une question non posée.

– Amen, acquiescent les femmes.

– Couvrez-vous bien, je ne veux pas de problèmes », ordonne l'homme qui conduit le char.

Antioca et les autres femmes se couvrent la tête et

nouent les extrémités de leur châle autour de leur bouche.

Si Dieu veut bien, elles se taisent, pense l'homme qui conduit.

À la tiédeur du souffle, les pensées s'amalgament sans solution. Une somnolence têtue saisit les paupières. Le balancement du char met le dos à dure épreuve, et il semble impossible de soutenir sa tête. Le menton abandonné sur sa poitrine, Antioca s'est quittée elle-même...

D'autres enfants, je n'en veux pas, je n'en veux pas. Vous savez pourquoi je suis là, Sainte Mère. Vous seule vous le savez. Et si vous pouvez me voir, si vous voulez me voir, moi, dans l'immensité des âmes qui vous implorent, alors, exaucez-moi, un autre enfant encore, non, vraiment non...

Et la Sainte Vierge, identique à celle de l'église paroissiale d'Arzana, mais sans les bijoux offerts par les fidèles, s'assoit près d'elle sur le char et de son bras lui ceint les épaules. Antioca sent une chaleur qui se répand jusqu'à ses reins.

Moi, je suis là, dit la Vierge, et dans l'immense nombre des âmes qui implorent, c'est justement toi que j'ai choisie, Leporeddu Antioca épouse Stocchino. Et je t'ai choisie pour te dire que trois épées encore te transperceront. Et pour te dire que cet enfant que tu portes en ton sein sera ta peine et ta jouissance. Et pour te dire que c'est pour cela que je te chéris, ma petite créature souffrante bien-aimée. Et pour te dire que même tes doutes me sont chers, et ta rage aussi.

Creaturedda iscaminada
in su bentu 'e su destinu,
a ti torrare in caminu
deo pro custu so falada,

Petite créature perdue
dans le vent du destin
pour te mettre sur le chemin
c'est pourquoi je suis venue,

récite la Vierge qui, éternellement enflammée par la Pentecôte, sait parler toutes les langues que l'on peut parler.

Antioca pleure doucement dans son sommeil. Les femmes sur le char la regardent et hochent la tête.

Mais pourquoi me faire mettre au monde d'autres créatures souffrantes ? demande-t-elle.

La Vierge sourit, devenant en tout identique à l'image du vieux missel relié et illustré. Elle sourit : petite âme, pauvre d'esprit, je t'aime et te chéris… Je suis là parce que tout a un sens, je suis là pour te dire que tu fais partie d'un dessein parfait. Certes, Leporeddu Antioca épouse Stocchino, dans l'immense peinture, tu es la pointe de la pointe de la pointe, du dernier bout de brin d'herbe le plus minuscule d'un immense pré, qui à son tour est de toute façon très petit. Est-ce entendu, ma créature souffrante ?

Dans son sommeil, Antioca semble faire oui de la tête.

Et alors, dit la Vierge, en lui caressant la nuque, va et ne veux pas ce que tu voudrais, mais essaie de vouloir ce qui t'a été assigné. Va et accepte le calice qui t'est offert, car le monde sans cette acceptation incondi-tionnée ne serait plus qu'un lieu de morts qui mar-chent... Voilà, à présent je souffle à ton oreille comme l'Archange guerrier fit avec moi. Et ce souffle est une âme qui se place dans ta chair. À présent tu es la figura-tion de la vie, créature souffrante, tu es la figuration de notre parabole dans cette vallée de larmes : ce que nous appelons la vie n'est rien d'autre qu'une courte hospita-lité dans l'utérus de la terre. Naître est tout le reste...

Quand Antioca ouvre les yeux, le char prend le tournant de Pratobello vers Orgosolo. Des pèlerins à cheval se hâtent vers le sanctuaire de Notre-Dame-de-l'Assomption. C'est une journée pâle, le soleil est cou-vert par un ciel compact. Sur le plateau paissent des troupeaux silencieux. On descend vers la falaise, presque un rocher de granit sur lequel est perché le vil-lage gris. À l'endroit où la foule commence à se rassem-bler il faut quitter le char et poursuivre à pied.

On avance donc pour assister au passage de la Vierge Endormie, montée au ciel après un sommeil profond qui est mort, mais rien qu'en surface, parce que la mort n'existe pas. On assiste à l'exposition et au transport pour que chacun puisse voir et pleurer. Et établir de quelle portion du grand dessein il fait partie. Qu'ils se lamentent et qu'ils se souviennent ! Comme tous les jours, ils se nourrissent de chair et de sang, de même, pendant le rite, pourtant consommé hâtivement, juste l'instant du passage, ils doivent se rappeler de quel nœud mystique cette chair et ce sang ont jailli. Et peut-être ceux qui doivent se rappeler ne se rappellent-ils pas, ce n'est peut-être qu'un geste et un regard : le pan du voile qui recouvre la statue endormie ; le bleu céleste du manteau ; la blancheur de la tunique... Et peut-être que le corps occupe un espace exubérant sous les voiles de l'âme et pèse sur la terre. Mais cela est dans le théâtre de l'homme. On ne s'habitue pas à la mort qui n'existe pas, c'est une douleur millénaire constante qui a creusé des lignes profondes dans la roche que nous sommes. Sans doute parce que le transport commun, les pleurs communs, toujours muets, sont accompagnés de la douleur de chacun, des pleurs de chacun. C'est pour cela que l'on veut se rappeler, pour ne pas donner raison à l'irraisonnable. Et là, dans la procession, là, dans le théâtre de la compassion du corps tourmenté, dans l'embrassement des enfants qui se plaignent, là, nous posons le fardeau. Meurs pour nous, crions-nous en silence. Et nous pourrions soutenir, en marchant comme si nous dansions, le flanc de la foule en lamentations qui, sous toutes les latitudes, pleure de la même manière.

Quand le simulacre de la Vierge Endormie passe près d'elle, une brise très légère écarte le voile de son visage. Antioca arrange une mèche de cheveux à l'intérieur du bord tendu de son foulard, puis elle caresse son ventre...

IV.

(Quelques prémonitions sur l'enfant qui va naître
et quelques racontars)

Qu'ils vont l'appeler Samuele, c'est le père Marci qui
l'a décidé :

« *Samuele fit unu balente 'e Deus.* Samuel fut l'un
vaillant armé de Deus. La question était que chaque
fois que son Peuple d'Israël ne maintenait pas le Pacte
qu'il avait fait avec Lui, de Le tenir en compte par-
dessus de tout, Deus le faisait esclave d'autres *gentes*,
d'autres peuples, tant que les Israélites ne s'en repen-
taient pas. Donc alors, après quelques années, Deus
qui est trop bon, s'émouvait de ses enfants esclaves
et leur rappelait qu'un Pacte est un Pacte, et leur
envoyait un vaillant armé éclairé par le Saint-Esprit
pour les libérer. Celui en lequel on pouvait avoir le plus
confiance parmi tous les vaillants était justement le
Prophète Samuel. Et Deus lui confia la tâche d'aller
appeler celui qu'Il avait choisi comme sauveur de son
Peuple. Et alors, Samuel se mit en voyage pour oindre
des Saintes Huiles un jeune qui répondait au nom de
Saül. Mais ce Saül ne se révéla pas avoir été un choix
heureux, on ne pouvait pas lui faire confiance : il était
plein de lui-même et, surtout, il avait oublié que c'était

44

bien Deus qui l'avait fait roi. Deus alors, de nouveau, a tourné le dos et tout son peuple a encore une fois fini en esclavage. Alors notre bonne âme de Samuel implore Dieu pour qu'il recommence à adresser son regard à ses gens, car trop grand est le mal qui coule au-dessus de tous ces pauvrets qui ont oublié leur Pacte avec Lui. Et Deus, qui est bonté, encore une fois s'émeut pour tous ces hommes et femmes et gamins et gamines. Aussi rappelle-t-il Samuel pour qu'il fasse un saut à Bethléem pour oindre de son chrême un jeunot qui est berger et dont le nom est David... Oui... celui-là même de Goliath, mais ça c'est une autre histoire... Je t'ai raconté cette histoire pour te raconter qui fut Samuel : un homme bon et très, très cher à Deus... *Bie tue si ti paret cosa de nudda*, À toi de voir si ça te paraît quéqu'chose d'rien... »

Felice baisse la tête et torture sa casquette :

« Avec tout mon respect, murmure-t-il. Mais nous avions pensé l'appeler Basilio. »

Le père Marci ouvre grand les bras :

« Je comprends, convient-il. Ça veut dire que si c'est une fille vous l'appelez Basilia comme sa défunte grand-mère... Mais si c'est un garçon, le nom c'est Samuele.

– Et qui sait si c'est garçon ou fille... Nous aurions aimé honorer la belle-mère...

– Ta belle-mère comprend tout de là-haut, ce sera pour le prochain enfant », réplique inspiré le père Marci. Puis, après quelques secondes de silence, voyant le visage neutre de Felice, il change de ton : « Et qu'est-ce que c'est que ça, c'est le dernier enfant que vous pensez faire ? *Non cherjat Deus !* Dieu ne le veuille ! tonne-t-il. Dis donc, la procréation c'est certainement pas ton affaire, Felice Stocchino !

– Écrivez-le-moi sur une feuille, ce nom, que je veux pas me tromper avec l'employé de la Mairie », dit Felice en cédant.

Le 20 mai 1895 le père Marci peut écrire bien claire-ment, pour l'employé de l'état civil : SAMUELE STOCCHINO.

Quand Samuele naît, sa grand-mère Basilia, mère de sa mère, est morte depuis cinq mois. Juste la nuit de la veille de Noël. Antioca a pris le deuil du silence jusqu'au trentième jour, habillée de noir de la tête aux pieds, et de même ses deux grandes filles, Genesia et Ignazia. Elle a préparé un brassard et un bouton noirs pour Felice ainsi que pour Gonario. La consigne du silence est presque une bénédiction : pendant le peu de temps que la maladie vorace a mis à emporter Basilia, elle, Antioca, n'a pas arrêté de parler. Hors de chez elle, en entendant parler d'étranges inappétences semblables à celles qui ont frappé soudainement Basilia. Chez elle, avec les commères, en expliquant qu'un matin pour la première fois la vieille femme a dit « je ne vais pas bien ». À l'église, en priant de la faire guérir ou, du moins, de lui accorder de voir ce nouveau petit-fils qui grandit et qui prospère ; puis elle comprend qu'il est plus réaliste de demander qu'il lui soit accordé au moins le temps de passer les fêtes. Elle a parlé comme elle n'a jamais parlé, Antioca, pour faire en sorte de survivre à la terreur très amère qui l'enveloppe. Elle a parlé et parlé, jusqu'en elle-même, pour se rappeler les trois épées que la Vierge lui a prédites en rêve.

Quand on parle ainsi l'on parle pour donner un sens à l'égarement. On parle aussi pour combler le vide que l'angoisse creuse en vous.

Cinq mois plus tôt, donc... C'est la veille de Noël.

Le docteur Milone embaume d'une fragrance jamais sentie, comme une sorte de sainteté légère, tandis qu'il approche son visage angélique et mâle, celui d'un saint Michel qui aurait fait le sacrifice de visiter la mourante même un jour de fête. Il met en place un sourire pour se frayer un passage au milieu des cils très épais d'Antioca qui n'implore pas, et ne demande presque pas. Elle paraît seulement penser. Elle ressemble seulement à une pénitente en pèlerinage devant la statue de marbre du saint. Mais, après tout, rien ne dit que toute cette lueur qui émane du médecin soit du marbre, il pourrait s'agir d'une réverbération naturelle qui boit la lumière et la diffuse ensuite comme ouatée. Cette fille ne demande pas le miracle. Antioca demande un délai, elle sait depuis toujours qu'il est inutile de demander une grâce quand la condamnation a été rédigée. Mais c'est la Veille, aujourd'hui ne pourrait-ce pas être un jour de miracles ? Non non, j'ai le sentiment qu'aujourd'hui ce pourrait vraiment être un jour convenable pour la bonne mort. Aussi ce qu'il reste à dire au docteur Milone c'est de conseiller qu'ils mangent de façon substantielle. Mais il ne sait pas dire de quelle substance exactement ils doivent se nourrir chez les Stocchino. Alors, avec l'impatience modeste de celui qui sait les choses, le docteur se penche encore une fois vers la malade qui a presque cessé de respirer, il lui effleure la main : mais Basilia est perdue dans un ailleurs dont on ne peut revenir. Le docteur Milone se dirige de nouveau vers Antioca. Dans la chambre il y a un silence qui n'est pas naturel, parce que l'on comprend que c'est un espace habituellement plein de voix. Mais à présent les enfants ont été éloignés : Gonario et Ignazia au pâturage, Genesia au service du notaire Porcedda. À présent, Felice se tient à l'écart, muet, tout prêt à s'enfuir lorsque arrivent les femmes parce qu'il faut changer la mourante. À présent, la maison est devenue une antichambre pour prendre congé, un purgatoire sur terre : à présent, c'est le silence. Ah, un silence qui est déjà la mort.

Le docteur ne se rend pas : qu'ils essaient de sanctifier l'attente, qu'ils s'offrent une trêve... Car pendant cette nuit on ne meurt pas, hasarde le médecin avec un sourire. Antioca répond avec un signe des lèvres. Ils restent de très longues secondes l'un en face de l'autre, jusqu'à ce que le saint guérisseur redresse le cou pour prendre congé. Alors qu'il s'en va, il sent le regard de la femme collé à son dos, mais il ne se retourne pas.

Felice est resté là, debout, pendant un certain temps, il voulait voir si le docteur Milone se retournerait pour le regarder avant de disparaître derrière la porte. Mais rien. Peut-être que pleurer et l'implorer aurait donné un sens à sa journée, sans doute en hurlant et jetant tout en l'air on se sent plus léger après. Mais Felice, léger... jamais. En dépit de son nom, il porte sur lui le poids des siècles. Pour lui le silence dit tout. Car il parle, lui aussi, mais il faut savoir l'écouter. Pour lui le silence est comme quelqu'un qui te regarde toujours, qui n'ôte jamais ses yeux de toi. Si tu voles, par exemple, le silence te regarde. Et cela ne fait rien s'il ne parle pas. La question n'est pas qu'il puisse rapporter à quelqu'un ce que tu fais. La question c'est qu'il te regarde et que les yeux du silence sont terribles ! Ils ne sont pas aimables comme ceux du docteur qui lui, au contraire, a des mots pour dire les choses. Mais une femme qui t'est chère, consumée par le cancer, comment le dire ? Hein ? Et puis tout le reste, tout le reste... Là aussi, le silence l'a suivi, dans les heures de désespoir avec Antioca qui devient tout à coup triste, et puis cette créature en train de venir au monde. Tout est trop difficile. Même si c'est précisément à travers le silence que Felice comprend qu'il y a un dessein précis dans ces tourments : sans doute en la racontant comme il faut, en en scandant chaque syllabe, en l'appelant par son nom, chaque chose devient soudain plus facile... Mais va les trouver, les mots qu'il faut.

Antioca a l'impression qu'à présent, assis l'un face à l'autre, à la table de leur cuisine silencieuse, elle et Felice sont plus seuls que jamais. Pire que dans le couloir vide d'un hôpital à Nuoro, loin de chez eux ou, pire, à Sassari, qui se trouve à l'autre bout du monde. Bien plus seuls à habiter cette apparence de normalité. Dans la souffrance des chambres des mourants on se sent tellement plongés dans la boue de la pré-mort que l'on croit presque être heureux. Mais hors de ces chambres tout a déjà été, ou bien n'est pas. Et alors cela veut dire que le problème n'existe pas. Ce purgatoire est ce qui peut arriver de pire, presque pire que les semaines d'attente du rapport médical qui décrète la fin. La Fin qui a un très beau visage, et on a envie de se dire qu'on ne devrait jamais, jamais, jamais finir. La Fin qui a une voix faible, à peine le souffle pour prononcer « positif » ou bien « négatif ». Cette fin-là a le visage d'une réponse, comme pour dire que le très long pont suspendu qu'on est en train de traverser est fini. L'horrible incertain, dépassé. Dépassé le parcours flexible, oscillant. La Fin, c'est qu'on n'a même pas pris le temps de jouir de la réponse qu'il faut déjà affronter la réalité. C'est peut-être pour cela qu'il vient à l'esprit d'Antioca que toute chose a un but qui est masculin et solide. Alors que la Fin est féminine. Tout a un but, se dit-elle... La Fin a un but. Et on ne peut pas aller plus loin.

De toute façon, Samuele naît en mai qui est le mois de Marie. Un mois de roses et de mariages. De floraisons. De printemps dans sa plénitude, pour ceux qui peuvent se le permettre. Pesé avec une balance romaine pour les pommes de terre, le nouveau-né fait deux kilos neuf cents, ce qui, s'agissant d'un garçon, n'est pas très lourd. Mais il est sain, Dieu merci, d'une voracité telle qu'il tète jusqu'à faire mal, le petit diable. Il a des yeux malins d'un ton ambré particulier qui ressemble à du miel d'arbousier. Antioca le regarde comme on regarde quelqu'un que l'on craint. Elle sait pourquoi. Elle le sait...

C'est peut-être pour cela que Samuele grandit un peu gâté. Pour autant que l'on puisse grandir gâté dans une famille très pauvre.

Samuele et sa mère sont engagés dans une conversation ininterrompue. On croirait presque que chaque fois qu'elle le regarde elle se souvient avec quelle ténacité elle a tenté de le refuser, et on croirait qu'il veut lui rappeler combien, aussi tenacement, il a voulu survivre.

Cette fois où Samuele avait deux ans et qu'ils étaient allés au lavoir, par exemple. Ignazia avait été emportée par la gastroentérite quelques mois avant. Samuele avait une tête bouclée comme un petit prince, très propre et soigné. Antioca le traînait dans ses jupes avec elle, le panier de linge en équilibre sur la tête et l'allure qui s'ensuit. Une cariatide et un petit Cupidon. Samuele était assez grand et bien fait, délicat, mais non pas frêle. Quoi qu'il en soit, l'enfant se met à jouer tout près d'un endroit glissant, sa mère le rattrape, il se retourne pour la regarder. Ce regard glace toutes les femmes. C'est un regard de peine et de reproche. C'est le regard d'un vieux qui a une longue histoire à raconter. Anníca Tola, qui sait voir dans la poitrine des gens, le dévisage, puis se signe.

Pendant le retour à la maison Antioca ne dit pas un mot, Samuele semble être redevenu l'enfant qu'il est, peut-être, d'ailleurs, qu'il n'est pas encore. L'instant où son regard a exprimé la rancune des siècles semble définitivement oublié. Mais Antioca n'oublie pas et, rentrant chez elle avec Samuele, son dernier-né, elle rumine une inquiétude indigeste.

51

Deux ou trois jours passent, qui peut désormais s'en souvenir, lorsque, juste devant la grille du cimetière, Anníca Tola, voyant qu'Antioca est seule sans l'enfant, l'arrête pour lui parler.

Par les âmes du Purgatoire et par tous les saints intercesseurs, lui dit-elle, moi, j'ai vu. Antioca sait ce que peut voir Anníca, elle le sait parce que d'autres fois, quand cela est arrivé, elle a pu constater qu'elle a vraiment un don. Pourtant cette fois elle ne veut pas entendre. Mais Anníca insiste :

« Ma chère sœur, dit-elle. Écoute, ne bouche pas tes oreilles ni ta tête. »

En effet, Antioca se bouche les oreilles avec ses mains, comme une enfant qui a peur d'une révélation trop grande. Mais Anníca l'a bien dit : elle peut boucher ses oreilles, mais pas sa tête.

Cet enfant a le cœur en forme de tête de loup, dit tout à coup Anníca, il a le cœur anguleux comme celui des assassins. Antioca pointe son doigt vers elle, mais elle sait qu'elle mène un combat déjà perdu. Anníca a vu un cœur en forme de tête de singe dans la poitrine de Filippo Tanchis et en effet il n'a pas fallu longtemps pour comprendre qu'il était fou. Elle a vu un cœur en forme de poisson dans les côtes d'Elène Cancellu et c'était bien une arriérée. Une fois, quand elle était petite fille, elle a vu aussi son cœur, en se plaçant devant le miroir, et elle a remarqué qu'il avait une forme de cruche, et c'est ainsi qu'elle a compris qu'elle portait en elle cette malédiction.

« Ma chère sœur, même moi, je ne suis pas contente. Maudite soit l'heure où j'ai compris ce que j'ai vu dans le cœur des enfants. »

Mais Antioca ne se rend pas, elle continue à nier et plus elle nie, plus il lui semble évident qu'Anníca a raison. D'ailleurs, comment pourrait-il en être autrement ? Elle a prié pour que cet enfant ne naisse pas :

« Pour supporter d'être né dans tant de malheur, il faut vraiment un cœur de fauve ! »

Anníca fait signe que non, que ces choses n'arrivent pas suivant un dessein des hommes. Qu'elle ne se grandisse pas, Antioca. Les choses des enfants ne dépendent pas des mères, ce n'est qu'une question de nombres. Dieu répand les cœurs en forme de tête de loup, de singe, de poisson dans les poitrines de certains humains, parce que ce sont des cœurs sans choix, avec leur destin écrit. Délinquant, fou, diminué. Aussi est-il clair que tous les autres, ceux qui ont le cœur en forme de poing, ont la grande chance de pouvoir choisir. Puis à certains Notreseigneur donne la malédiction du cœur en forme de cruche qui est ce qu'il y a de pire, le cœur qui recueille et verse, celui qui contient mais ne peut pas rester fermé.

Le ciel, à présent, est coupé en deux : de plomb d'un côté, bleu de l'autre. Le soleil s'est soustrait à la vue pour construire une pénombre sans nuances.

Anníca sort de la poche de son tablier un caillou lisse, qui vient de la rivière : le cœur de ton fils n'est pas plus grand que ceci, dit-elle, en le montrant à Antioca. C'est un chiot, il bondit encore sans contrôle, il ne sait pas la force qu'il a...

Que dois-je faire ? demande Antioca.

Et qu'est-ce que tu veux faire, ma chère sœur ? réplique Anníca en hochant la tête. Cache cette pierre dans un endroit que toi seule tu connais et tant qu'elle reste cachée le cœur ne grandit pas, les crocs restent des dents de lait, les yeux sont bons...

Avec quelle peine Antioca se dirige vers chez elle, on ne peut l'expliquer. Il lui a suffi de lever les yeux pour voir que le ciel est devenu tout livide, violet comme une contusion.

Elle revient donc chez elle, Samuele est en train de jouer dans la cour, il est penché et regarde une chenille. Antioca entre en lui faisant un petit signe. Elle se dirige vers la chambre où il y a le coffre qui a été celui de Basilia, la bonne âme, elle l'ouvre, elle fouille dans le linge ordinaire pour y glisser le caillou de la rivière que lui a laissé Anníca. Sous le linge, conservée dans des feuilles de papier vélin, se trouvent la *franda* et le *zippone*, le tablier et la jaquette de fête : Antioca place le caillou sous la jaquette qui se trouve presque au fond du coffre, mais avant les serviettes en lin... Puis elle doit refermer à la hâte parce que dans la cour Samuele pleure et Genesia crie...

Dans la cour, une tragédie vient d'être consommée : Samuele a écrasé la chenille et l'a lancée, morte, dans les cheveux de Genesia qui essaie de s'en débarrasser en se secouant comme une possédée. Samuele rit tout le rire du monde. Le très beau rire d'un enfant de deux ans...

Mais cette nuit-là Samuele fait un rêve terrible. Même s'il est trop petit pour faire ce genre de rêve.

Il s'agit d'une bête, un grand oiseau au cou long et poilu. Aussi laid que le démon. Il a deux pattes rugueuses et un corps rond et couvert de plumes. Laid, tout ce qu'il y a de plus laid. Et c'est un oiseau qui ne vole pas, parce que Samuele qui n'est plus un enfant, mais un adulte, le poursuit, mais l'autre court et ne vole pas. Samuele est seul au milieu d'un champ, c'est un homme, mais c'est aussi l'enfant qui rêve. À un moment donné la bête lui parle : tu seras serpent et couleuvre, lui dit-elle. Tu seras glorifié et martyrisé. Tu seras démon, Satan maudit. Taché de sang et aussi pur qu'un lys. C'est ce qu'elle lui dit.

« Qui es-tu ? » demande Samuele adulte.

Mais la bête le regarde, elle a un bec large et des yeux saillants... C'est comme un monstre marin, mais terrestre... Il est comme ça. En somme, il le regarde et, sans bouger le bec, il lui dit qu'il ne peut pas poser de questions, que toutes les questions sont finies. Tout ce qu'il peut demander est fini.

« Mais moi, je ne dis rien et je ne demande rien, murmure Samuele.

– Ta vie elle-même est une question », dit la bête en faisant rouler ses yeux qui sont comme deux billes de verre trop grandes pour sa tête. Il a une petite langue qui frétille comme un ver violacé. Puis il s'approche de lui comme s'il voulait lui donner des coups de bec sur le visage... Ah...

Revenu à la maison après la fête du baptême, Samuele ne parvient pas à dormir. Accompagnés de la colère tremblante d'Antioca, les deux pèlerins sont sortis de l'obscurité et ont été rendus à la tiède petite flamme du foyer. Dans la maison, les autres dorment tous.

Felice ne parvient vraiment pas à affronter le désespoir plaintif d'Antioca, sans l'écouter il se dirige vers son lit. Puis, pour le très peu de temps qui lui reste, il s'écroule dans un sommeil inquiet ; il n'a pas parlé avec sa femme de l'histoire du tonnelier et de l'eau refusée. Samuele regarde mais ne parle pas. Pour Antioca, son regard est resté celui, coupant, du lavoir. Pour Antioca, Samuele est comme un gouffre très profond, elle voudrait l'embrasser mais elle attend une autorisation de ses yeux. Elle l'embrassera s'il le veut, lui.

« Va dormir… » lui dit-elle.

Samuele enlève son tricot et ôte ses chaussures.

Il est seul maintenant dans son lit à la cuisine. Autour de lui, enfin, la maison respire le repos intangible des corps épuisés. Et l'obscurité d'une lune noire lance les flèches de chiens qui jappent et d'oiseaux insomniaques et de furets dans les buissons et de renards en chasse… C'est une obscurité qui grouille comme un bocal de lombrics. Ce silence, qui est le royaume d'attentes, de bruissements et de vibrations, de bonds et de souffles, remplit sa tête de pensées. Il n'a même pas assez de mots pour dire ce qui devrait être dit, mais pour ce qu'il peut en savoir, tout, tout a déjà été dit. De cette certitude, Samuele n'a que la conscience muette, aveugle, sourde. Et alors, pour chercher une clé qui puisse ouvrir l'écrin mystérieux contenant tout ce qui a déjà été, Samuele s'assoit sur le rebord de la fenêtre face au deuil de la lune. Il a sept ans. Et il a beaucoup trop de questions, mais la bête du rêve, longtemps avant, lui a dit que, lui, il ne peut pas poser de questions…

Le rebord est bas, il suffit d'un petit saut, six ou sept pas et la campagne vous engloutit.

Cela eut lieu la nuit entre le 20 et le 21 janvier 1902.

Le matin suivant, Gesuina Líndiri veuve Boi, la mère du tonnelier, sortit de sa maison; elle avait dans son tablier des grains pour les poules et des pelures de pommes de terre pour les cochons. Un vent maléfique ne laissait aucun répit, les feuillages des arbres sifflaient comme des cravaches. La femme essaya de retenir son grand foulard qu'un coup de vent arrachait de sa tête, elle lâcha son tablier et le contenu s'éparpilla dans la cour, les grains étincelèrent en suivant une spirale invisible, les pelures planèrent quelques instants avant de glisser par terre. La vieille Gesuina, qui n'était guère plus qu'un petit sac d'ossements, fut presque jetée sur le sol, elle eut juste le temps de s'accrocher à un anneau enfoncé dans le mur de la maison, de ceux qui servent à attacher les bêtes. Son foulard s'envola, désormais abandonné à son destin. La tête nue comme une pénitente, les jupes qui lui collaient au corsage, la femme regarda autour d'elle. C'était un matin violet. Elle se signa. Puis elle vit le sillon. Un S sur le sol.

Le matin suivant il n'y a pas de trace de Samuele sur le lit dans la cuisine. On a beau l'appeler, il ne répond pas. Le nom de Samuele retentit, enlacé par les chêneaux et les oliviers sauvages. Felice et les hommes grimpent, s'accrochant aux rochers rendus lisses par la gelée. Ils ont avancé presque jusqu'au pied du mont Idolo... Dans le village Antioca et les femmes frappent à toutes les portes. Furieuses et comme folles, elles portent sur elles la peine des mères et l'irritation des grand-mères.

« Comment vous avez pu laisser un enfant sans le surveiller, vierges distraites, mères sottes ! Ah, soyez maudites !

– Tu parles d'un enfant ! dit Felice en furie dans la hâte de la recherche. Moi, à son âge... Mais quand je le tiendrai... »

Et alors qu'Antioca remâche l'humiliation de la mère irresponsable, Felice rêve de cravache, il va lui montrer, lui, à ce vaurien... En attendant, on cherche dans les crevasses et dans les clairières.

On cherche dans les grottes empestées d'un air aussi amer que la chicorée. On cherche d'une maison à l'autre, dans un crescendo de désespoir très semblable à la résignation.

Samuele. Ce nom brise le silence, et brise en deux la poitrine. Comme si le cœur était une miche de pain à partager.

« Marie toujours vierge, Madone du ciel... » murmure Antioca, mais sans l'implorer.

Elle frappe chez Caterina Frangipane, chez Nicchedda Sale, et chez Gerolama Filigheddu, et chez Luisedda Pische... Et toutes se signent, comme une seule personne, dans l'espace étroit entre nez et menton. Mais non, elles n'ont pas vu Samuele. Elles peuvent demander en tout cas... Quelle douleur, quelle croix ! La pauvre, avec cet enfant.

Antioca arrive hors d'haleine à la maison d'Annìca Tola qui l'attend à sa porte.

« Ma sœur, ma chère sœur », répète-t-elle. Elle assiste à une scène de théâtre qu'elle connaît bien, elle en a tellement vu lutter contre leur propre destin, qu'elle ne peut même plus les compter. « Tu as bien gardé la pierre que je t'avais donnée ? » demande-t-elle à Antioca.

La femme fait signe que oui, puis elle réfléchit et court chez elle. Elle va jusqu'au coffre et déplace ses meilleurs vêtements sauvés des mites grâce à des brins de lavande et de ciboulette. Au fond, sous la jaquette, le caillou du fleuve est là, mais il s'est brisé en deux.

Entre-temps, Gesuina Líndiri, devenue folle, cherche à effacer le sillon que Felice Stocchino a fait avec son pied sur le sol. Mais il n'y a pas moyen, c'est comme si ce signe avait gangrené la couche rocheuse sous le terreau.

Le tonnelier, la voyant à quatre pattes en train de gratter le sol de ses ongles, la rejoint, la saisit pour la faire se lever, mais la vieille mère ne veut rien savoir. « T'as l'entendu tout c'vent ? » demande-t-elle.

Emerenziano Boi, tonnelier depuis quatre générations, dit que oui, que c'était une tempête passagère, une *temporada*, que tout est passé. Mais Gesuina se débat pour échapper à la prise de son fils et dit que non, que tout n'est pas passé, que tout va commencer.

V.
(Samuele dans l'abîme)

Les parois du rocher définissent un ruban de ciel. Samuele le regarde, qui change, au-dessus de lui. Il ne sait pas pourquoi il a fait ce grand saut, pourquoi il s'est laissé appeler par la nuit. Sans ses chaussures il a traversé ronceraies et rochers pointus. Puis un néant très sombre l'a englouti vivant. Comme l'agneau qui a fait un faux pas, dans son avancée aveugle, il a soudainement senti le vide sous lui. Chuter a été exactement le contraire de ce qu'il aurait pensé : non pas descendre, mais plutôt monter. Il a senti la surface de granit lui effleurer le visage, en ouvrant les bras il a essayé de mimer un vol. Ça a été terrible et magnifique.

Le terrain s'est ouvert et je suis probablement tombé, il n'y a rien d'autre dont je me souvienne. Je n'ai pas entendu de voix, puisqu'on m'a dit que tout le village me cherchait, mais sans doute que j'ai dû m'endormir. Comment savoir ? J'avais sept, huit ans, peut-être, et ça n'avait pas été une bonne nuit. Papa et maman avaient eu des mots entre eux parce que nous étions rentrés tard et puis il y avait eu cette affaire de Boi qui n'a pas

60

voulu nous donner de l'eau. Sale nuit, vraiment, toute sombre. Et puis j'ai sauté par la fenêtre et j'ai fait un pas. J'avais le noir devant moi, mais je n'avais pas du tout peur. J'ai avancé, mais non pour aller quelque part, je faisais comme le chien de chasse et je suivais mon nez : l'odeur de nuit. Qui est froide et a le goût de l'acier.

Une fois il avait appuyé sa langue sur la lame de son couteau à cran d'arrêt et il avait compris que ce qu'il sentait n'était pas un goût, mais une odeur. L'odeur de la nuit, justement. Et c'est peut-être pour cette raison que, dupé par quelque chose de familier, il s'était laissé tromper. Et il s'était élancé dans la campagne. Certes, cette nuit avait une odeur qui était le goût de son couteau. Dans cette obscurité la végétation se dressait, les ronces bruissaient desséchées et gelées. Et la terre sous ses pieds nus se brisait comme du pain *carasau*, du pain biscuité.

Samuele ne saurait dire combien de temps il a marché, il sait seulement que l'aube s'est montrée derrière l'arête juste au moment où, le regard dirigé vers le ciel, il suivait les cris et les imprécations d'un milan.

Comment je suis tombé, je ne sais pas. Et je ne sais vraiment pas quand je me suis arrêté. Je sais seulement que dans ce gouffre on descendait lentement, comme si on se noyait dans l'air. Et puis je me suis arrêté. Un genévrier poussé dans une crevasse m'a retenu. J'avais mal au poignet mais je pouvais bouger les jambes et la tête. Au-dessous de moi, l'abîme n'avait pas de limites. Au-dessus de moi, le ciel était un mince fil. Combien de temps suis-je resté à regarder en haut, combien de temps ?

Quand le cerf s'est montré, mon cœur était sur le point de s'affoler encore, mais je dormais peut-être, épuisé par la peur, en tout cas on comprenait à ses cornes que ce devait être un cerf. Il m'a regardé en avançant sa tête dans le gouffre, puis un coup de tonnerre l'a fait s'échapper. Un renard aussi s'est montré. Dans le ciel, tambours et triquétracs résonnaient... un escadron de nuages marchait et s'approchait, et les coups de tonnerre donnaient l'ordre d'attaquer... Là-haut, une bataille était en cours. Cela arriva au moment où le cerf se pencha. Puis ce fut le tour du renard et du sanglier qui voulaient savoir le comment et le pourquoi, et puis encore le tour du mouton et de la chèvre qui voulaient donner des conseils.

Là-haut on se battait à l'arme blanche... Les sabots d'un âne sauvage et les griffes d'un chat sauvage déplacèrent des cailloux gros comme des grains de sel et ils les jetèrent sur moi.

Là-haut, pendant un jour et une nuit on avait cherché Samuele en questionnant les arbres et les rochers. Totore Cambosu avec son fusil de chasse sur l'épaule marche et raconte qu'il n'y a pas longtemps s'est perdue aussi la plus jeune fille de *tziu* Antoni Palimodde... La petite fille s'appelle Mariangela. En avaient-ils entendu parler ? Et les autres hommes de dire que oui, qu'ils l'avaient entendu dire, même s'ils n'avaient pas participé aux recherches. Mais cela cache quelque chose de mauvais, commentent les hommes alors que la campagne les engloutit.

Quand ils arrivent au pied de la montagne, la roche commence à se crevasser, les buissons touffus d'arbousiers poussent à l'intérieur de la pierre et s'étalent, ils s'emparent du lieu avec la tranquillité des siècles. Ceux qui poussent à l'intérieur des crevasses, à ce que disent ceux qui savent, portent encore les mêmes baies mâchées par quelques légionnaires romains pour calmer les tiraillements de la faim quand ils s'étaient perdus dans ce néant désespéré.

En somme, Mariangela Palimodde s'est perdue de ce côté-là il y a moins d'un mois, mais désormais on ne la cherche même plus.

La deuxième nuit, les sangliers, les chats sauvages, toutes les visions ont cessé de le visiter. Samuele suspendu dans l'abîme à l'intérieur de la crevasse ne peut voir que les bords du rocher qui, vingt, trente mètres plus haut laissent passer lumière et obscurité, puis un œil de soleil qui pénètre, puis un murmure venteux qui fait bouger la poussière, puis un noir qui n'est rien de rien, où passent des milliers d'étoiles. Samuele est suspendu au milieu de la crevasse, embrassé par un genévrier fou de solitude, qui maintenant l'enserre étroitement et ne veut pas le laisser partir.

La troisième nuit ce qu'il croit voir c'est une lune bouffie qui essaie de parvenir jusqu'à lui au centre de la crevasse. Une lune effrontée trop grande pour cette gorge...

Peut-être Samuele pensa-t-il que pleurer signifiait être encore définitivement vivant... La faim le dévorait de l'intérieur, plus que la soif. Aussi ses pleurs ressemblèrent à cette lune : énormes, gonflés. Et il lui sembla aller mieux jusqu'à ce qu'il entendît une voix. Mais ce n'était pas une voix, c'étaient d'autres pleurs. Dans la lumière de la lune il vit une ombre très frêle, presque transparente.

« Hé ! » cria cette ombre...

Samuele ne répondit pas, il ferma les yeux, il avait mal au poignet. « Hé ! reprit la voix. Hé ! »

Quand il ouvrit la bouche, Samuele se rendit compte qu'il avait les lèvres brûlées, collées, et il se rendit compte qu'il ne pouvait pas répondre si ce n'est en tentant un geste de la main.

L'ombre, là-haut, semblait le voir parfaitement avec cette lune derrière elle qui coulait, lactescente, à l'intérieur de la crevasse. Aussi parla-t-elle, d'une voix de petite fille... Et elle dit que ce n'était pas le moment de mourir, qu'elle aussi y avait pensé lorsque personne, dans l'enchevêtrement de la forêt, n'avait répondu à ses pleurs, mais elle était là, prête à répondre à sa plainte. À raconter l'histoire de la lune qui l'avait conduite au sommet de la crevasse et éclairée dans l'embrassement du genévrier... C'est ainsi que Samuele, en proie au délire, pensait que cette ombre parlait.

En effet, l'ombre voix enfant dit : réveille-toi.

Le brigadier Palmas ouvrit les bras, frappa quelques petits coups sur sa poitrine : « Que je sois damné », murmura-t-il, parce qu'on ne sait jamais par quel biais un souhait est exaucé. « Stocchino... Pour l'amour de Dieu. »

Il l'appelait ainsi, comme s'il lui adressait des reproches, mais il ne voulait, en réalité, que se féliciter de l'avoir trouvé vivant. Peut-être que le brigadier était soulagé : parce qu'à l'intérieur de l'enchevêtrement végétal il s'était senti désarmé et exposé, et que le fait de l'avoir retrouvé signifiait au moins que les recherches étaient finies. Et son fils Francesco avait le même âge que ce Stocchino Samuele miraculeusement retrouvé à présent, gardé en vie par une plante qui en avait arrêté la chute...

Derrière lui Totore Cambosu racontait l'histoire de cette fois où Gigetto Aranzolu était resté pendant sept jours dans la grotte Gurturja, où il avait sucé l'eau directement de la roche pour survivre. En tout état de cause, la conclusion était que, malgré ce que l'on disait dans le village, de toute évidence, pour Samuele Stocchino, son heure n'était pas arrivée, pas plus que pour Mariangela Palimodde, qui l'avait entendu pleurer, qui avait ensuite entendu les voix. Et cette petite fille avait vraiment été un miracle vivant, un mois d'errance dans les bois. Ainsi l'enfant doit sa vie à la petite fille, mais elle aussi la lui doit, parce que les voix qu'elle a entendues étaient celles des hommes qui cherchaient Samuele.

Ils s'organisent pour le tirer hors de l'abîme avec des cordes. Quand il se sent lié, Samuele croit ne pas bien comprendre parfaitement ce qui l'arrache à son demi-sommeil. C'est un homme mince, un caporal-chef du Nord de l'Italie qui a une expérience de la montagne...

L'ombre voix enfant répéta : réveille-toi.

65

Dans le village c'est un va-et-vient continuel : on en cherchait un, on en a trouvé deux. L'un miraculé par un genévrier, l'autre par la génétique, car les femmes sont faites pour vivre absolument. Qu'est-ce qui s'est passé, on ne le sait pas. Comment ça s'est passé, c'est une autre histoire : Mariangela déjà morte de froid et de privations, avec la grâce de sainte Anne, touchée par les larmes de Samuele. Samuele qui appelle et Mariangela qui entend, tous deux trop enfants pour être morts.

Antioca place un clou dans son cœur, et ferme la bouche, parce qu'elle sait que ce n'est pas un miracle, elle sait que Samuele doit vivre pour qu'elle puisse baiser l'image, pour qu'elle touche le fond de la souffrance. Elle arrange son châle sur ses épaules et court sur les lieux où ils les ont retrouvés. Qui ne sont pas distants, quelques pas. Mais personne ne connaissait cette crevasse, personne ne l'avait jamais vue. Et alors elle s'était peut-être ouverte la nuit justement sous les pas de Samuele. Et cette fillette que personne n'avait cherchée ? Elle s'était peut-être perdue rien que pour le retrouver. Antioca rejoint les hommes : le brigadier, le caporal-chef maigrelet du Trentin, Totore Cambosu, Felice... et les autres.

Samuele suspendu à la corde semble mis au monde par la roche. Il est sali de rouge, ses lèvres sont collées et son regard est vide. Une fois hors de la crevasse, on le dépose par terre. Il commence à trembler, signe qu'il est vivant. Antioca ne bouge même pas, elle regarde Mariangela que personne n'est venu réclamer et elle l'embrasse.

Puis cette même nuit, à la maison, Samuele est mis au lit. Il va incroyablement bien, dit le docteur Milone, belle trempe, dit-il... Incroyable, murmure-t-il... Et il sourit.

Mais Antioca non, elle ne sourit pas.

« Qu'est-ce que tu as ? lui demande Felice.

– Tu ne comprends pas ? » répond-elle.

Felice fait signe que non. Et il ne ment pas. Mais que peut-elle dire, Antioca, à cet être élémentaire qu'elle a épousé ? Comment fait-on pour expliquer ce qui est tellement clair, aveuglant ?

Et alors Antioca se lève du lit qu'elle partage avec son mari et avec les deux jumeaux nouveaux-nés et rejoint Samuele, qui est resté seul dans son lit au chaud dans la cuisine.

« Tu ne dors pas ? » lui demande-t-elle.

Samuele ne bouge pas, mais il est clair qu'il ne dort pas. Antioca approche une chaise de son lit et s'assoit comme quand elle passait les nuits au chevet de sa mère. Samuele a les yeux fermés mais il ne dort pas. Antioca se penche pour sentir s'il respire, comme elle a toujours fait avec tous ses enfants et quelquefois même avec son mari.

« Combien de temps j'ai rêvé ? demande tout à coup Samuele comme s'il dormait encore.

– Qui es-tu ? » demande Antioca dans un chuchotement à quelques millimètres de ses lèvres.

Deuxième partie
Pareil à une douleur

« C'est sa main qui m'a fait traverser l'inonda-
tion sans encombre... »

W. FAULKNER, *Tandis que j'agonise*.

Premier coryphée

Spectateurs ou lecteurs, qui que vous soyez... Dans le théâtre de l'homme il y a des rôles assignés. Protagonistes et seconds rôles participent du rituel de la mort, qui est le seul qui raconte la vie. Le combattant, que ce soit dans les guerres ou dans l'existence, est convenablement étendu dans le lit du défunt, les femmes «lisent sa vie». Dans le jeu des rôles, accoucher, élever, aimer se distinguent dans la capacité à refuser la mort et dans l'humilité à l'accepter. La mère de toutes les pleureuses réunit douleur et satisfaction, la douleur pour une vie qui s'est éteinte, et la satisfaction pour un parcours qui s'est accompli jusqu'au bout. Le fils, le frère, le mari immobile sur son lit de mort est vivant dans la parole: qui il était, ce qu'il a fait, combien il était beau, courageux. Une vie est un feu perpétuel de souvenirs et l'âme un tison ardent sous les braises. La mère de toutes les pleureuses est fière de ce savoir-là, comme d'avoir franchi une ligne d'arrivée.

«*A mie toccat su piantu,/a mie su sentimentu*, C'est à moi que reviennent les pleurs,/à moi toute souffrance.»

C'est à elle qu'il revient de pleurer parce que le mort

est à elle, parce que dans ce nouveau tourment subsiste l'unique espoir de berner la mort. La mère de toutes les pleureuses doit se confronter au nœud qui la serre : fille de son père, mère de son fils, épouse de son mari, mais mère de son père, épouse de son fils, fille de son fils. « *A kie mi lassas fizzu/a kie, babbu amorosu,/a kie divinu isposu...*, À qui me laisses-tu, fils/à qui, père amoureux,/à qui, divin époux... »

Dans le théâtre de l'homme il y a des mètres assignés. La stabilité obstinée du septénaire en grappes de sixains. La plainte qui enchante la tragédie : la tromperie qui rapproche en éloignant. La solitude d'Une qui est Toutes. D'autres mères, d'autres sœurs, d'autres épouses seront poussées au centre de la scène par des anges annonciateurs, tremblants, porteurs de douleur.

Ici, la scène est en acte, nous la prenons en son centre, au cœur de l'action, qui n'est pas une action, mais un récit de l'action. Il y a le défunt, il y a la mère, fille, épouse, sœur, et il y a la Mort qui assiste silencieuse, et se refuse à donner des explications, tout en participant elle aussi.

Elles sont assises ensemble, la Mort et la mère de toutes les pleureuses, et elles s'embrassent en pleurant.

I.
(Benghazi et retour)

« Stocchino Samuele, 18 ans, berger, célibataire, bien qu'il n'ait fréquenté l'école que jusqu'à la deuxième année de cours élémentaire, sait pourtant suffisamment lire et écrire.

Il est de constitution plutôt frêle, mais très fort ; taille 1,63 m avec une grande ouverture des bras de 1,67 m. La circonférence crânienne maximale mesure 542 mm ; la demi-courbe antérieure 280 mm, la demi-courbe postérieure 260 mm ; les demi-courbes droite et gauche respectivement 270 mm ; la courbe occipito-frontale 330, l'écartement entre les oreilles 340 mm ; le diamètre antéro-postérieur 190 ; capacité crânienne moyenne probable 1 537. Indice céphalique 71,1 ; type de crâne : dolichocéphale.

Sinus frontaux et arcades sourcilières tout à fait réguliers, le front est moyen, ordinaire, non couvert de cheveux ; son visage est rond, féminin ; l'œil est allongé, très vif ; le nez petit et droit ; les canines supérieures sont très développées ; on ne remarque pas d'espaces significatifs entre les incisives supérieures ; les lèvres sont pleines ; la mâchoire inférieure volumineuse; les cheveux sont épais, roux, lisses; la peau est rosée.

Les réflexes pupillaires sont foudroyants. La force de striction n'est pas indifférente, le dynamomètre mesurant 38 à la pression de la main droite et 31 de la gauche. Le pouls bat 65 fois à la minute, dans la même période de temps on compte 23 respirations. La température des aisselles est de 36,9.

Déshabillé, il présente une constitution harmonieuse, buste nerveux, hanches et fesses étroites; testicules pleinement développés, pénis moyen; duvet clairsemé.

Mains et pieds fuselés.

Le sujet manifeste une intelligence discrète et donne des réponses rapides et sûres; à la question de savoir pour quelle raison il veut entrer comme volontaire dans l'Armée royale, il répond qu'il veut servir sa patrie. À la question de savoir quelle est la patrie qu'il veut servir, après une incertitude marquée, il articule: l'Italie.

Il est déclaré apte à être enrôlé. »

Il pouvait voir sa mort, parfois. C'était comme une pensée qui se concrétisait. La peur la plus profonde devenait si familière qu'elle n'était même plus de la peur. Il pouvait sentir le tangage du paquebot ébranlé par les vagues. C'était revoir en même temps la pointe extrême de la vie et son début. Son jeune cœur batailleur avait été englouti avec mille autres, et plus, dans le ventre métallique d'un navire, et il expérimentait à présent le pouvoir de la mer agitée. C'était une oscillation obstinée, infinie, un abominable contact de chairs et de corps et de souffles. C'était ça la mer, c'était toute cette somme d'horreurs qui entourait sa terre. Là, il était loin comme jamais, mais être loin ne signifiait pas être quelque part. La mer n'était rien. C'est ce dont il se souvenait.

Seulement quarante-huit heures plus tôt, une vie entière, le port de Brindisi était une forêt où oscillaient cent et plus navires invincibles, avec la croix du Christ et le blason des Savoies gravés sur les carènes et une force de milliers de bouches à feu. Une puissance au service de la Foi et du Progrès, contre l'ennemi turc.

À seize ans, Stocchino Samuele d'Arzana, âgé mensongèrement de dix-huit ans, apte et enrôlé, était tombé à genoux, pour baiser les dalles grises du quai, en priant le sort pour que sa première expédition le conduise vers la gloire resplendissante des armes. Il avait remis d'une main tremblante, d'émotion et non de peur, les papiers qui l'autorisaient à lever l'ancre avec ses compagnons inconnus du 4e d'infanterie. Mais en montant sur le paquebot il avait été pris d'un vertige, parce que c'est à ce moment-là que son destin se décidait. Son corps était devenu l'instrument d'une fureur qui faisait étinceler son regard. Et il pouvait voir ce même regard, identique, sur les visages de milliers d'hommes amassés sur le quai et prêts à se laisser engloutir par les bouches grandes ouvertes des navires. Un convoi de neuf paquebots chargés de troupes, et escortés par les cuirassés *Regina Elena*, *Roma* et *Napoli*, par le croiseur cuirassé *Amalfi*, par les croiseurs protégés *Piemonte*, *Liguria*, *Etruria* et *Lombardia*, et par une escadrille de contre-torpilleurs et de torpilleurs, un convoi sous la garde du navire des navires, le vaisseau amiral, le *Vittorio Ema-*

nuele. Une flotte prête à rejoindre Benghazi. Benghazi, justement. Qui, pensait Samuele, n'était rien d'autre qu'une île, exactement comme celle d'où il était parti. Puis quelqu'un lui avait dit qu'il n'était qu'un chien ignorant, que sur la mer infinie ne flottent pas seulement des îles, qu'il y a aussi des péninsules et des continents. Mais lui, comment pouvait-on le contredire? Stocchino Samuele, on ne pouvait pas le traiter de chien ignorant, pas dans le ventre si froid d'un paquebot pour les troupes de débarquement :

«Toi, tu dois pas me dire chien ignorant, à moi!» avait-il sifflé.

Et c'était peut-être la première, et la plus longue, phrase en italien qu'il eût jamais prononcée... *Fizzu 'e bagassa!* Fiss de garce!

On disait que le vaisseau amiral, ça, oui, c'était quelque chose. Comme un palais que toute une vie n'aurait pas suffi à visiter, disait-on. Les logements étaient un somptueux palais royal de bois précieux.

Après sept heures de navigation avec un vent favorable le cuirassé amiral parvint au rivage ionien de la Grèce et les paquebots, les cuirassés, les torpilleurs et les contre-torpilleurs le suivirent comme une file de canetons.

«Où sommes-nous? Où sommes-nous? continuait à demander un jeune aux lèvres sèches.

– À Chypre, répondit quelqu'un.

– À Chypre? Ce n'est pas Chypre... Nous sommes à la hauteur de la Crète, ignorants... Au centre, entre les îles de Malte et de la Crète, exactement», intervint un marin qui apportait à boire.

Quelle différence y a-t-il ? Encore d'autres îles. C'est moi qui ai raison : hors de chez moi, pensa Samuele enfermé dans une sorte de mutisme très concentré, hors de ma terre, il n'y a que des îles. Partout des Sardaignes, pensa Samuele, des Sardaignes éparses à travers les océans, jetées dans les mers en vrac. À Chypre, à Rhodes, en Crète, à Malte. Et qui sait où...

La tempête se déchaîna au large du port de Benghazi. Une tempête très dure. Avec de la pluie battante. Sel, fer et nuit. Le paquebot se pliait sur lui-même avec des sifflements de baleine. Il semblait s'allonger sur ses flancs, puis il retrouvait son assiette. Et cela, à l'infini.

L'entrée en guerre de Samuele Stocchino fut baptisée par le vent grec qui canonnait à la proue. Et par la pluie torrentielle qui faisait chanter les ponts du navire.

Dans le fracas écumant de la mer et du vent, les appels hurlés des fantassins paraissaient des murmures de moribonds. À côté du solo des vagues, la peine atroce de la certitude qu'il n'y avait pas un endroit sûr, en dedans ou en dehors du bateau, donnait la chair de poule.

Puis une bonace, soudaine, arrêta le convoi tout entier. Prisonniers du néant, cette fois. De même qu'ils avaient été ballottés dans un infime bras de mer, il semblait maintenant qu'ils pussent voir le salut. Sur la surface immobile ils pouvaient apercevoir des éclats de terre, qui étaient encore des îles.

« Où sommes-nous ?

– À Benghazi, à Benghazi, ignorant. »

Sur le vaisseau amiral on hissa le pavillon de guerre.

Mais ce fut un calme temporaire : dans l'heure qui suivit, alors même qu'avaient lieu les opérations de débarquement, la mer recommença à bouillonner pire qu'avant...

Ça avait été mourir. Si ce n'est qu'il pouvait s'en souvenir. Quand son lit recommençait à flotter au point de le contraindre à s'accrocher aux bords pour ne pas en être projeté par terre. Et que la nausée entourait sa tête d'une membrane visqueuse.

Alors Samuele Stocchino ouvrait les yeux et encore un instant il ressentait l'instabilité. Jusqu'au moment où la certitude de l'aube bloquait le balancement.

Il sortit ses jambes des couvertures et il se mit assis sur le lit, il essaya de recentrer l'espace tout autour, éclairé par la faible lumière des braises dans la cheminée. Il fit adhérer ses pieds nus au plancher glacial pour constater la solidité du sol.

... Une fois le pavillon de guerre hissé, on ouvrit immédiatement le feu sur la plage de la Giuliana, où devaient débarquer les fantassins. Les cuirassés visèrent la caserne de la Berka et le château, sur lequel flottait le drapeau turc, qui fut abattu dès les premiers tirs.

À 8 h 50, protégées par le tir des bateaux et conduites par le capitaine Franck, sous une pluie insistante et avec une mer agitée, les compagnies de débarquement ont touché terre avec quelques pièces de 76 et elles se sont rangées sur le bord des dunes, mettant en position à gauche l'artillerie et permettant aux sapeurs du Génie de construire des pontons sur lesquels les troupes commencèrent à passer...

Et ensuite ? Que raconte d'autre Samuele de ce qu'il y a à l'extérieur ? Et de la Tripolitaine, que raconte-t-il ? Et du débarquement en Cyrénaïque ? De cette terre stérile et chauffée à blanc qui a coûté tant de vies, il ne sait vraiment pas quoi raconter. Felice le harcèle, il a toujours aimé les histoires de soldats. Mais Samuele ne sait que dire des soldats, il ne se souvient que des marches forcées sous le soleil brûlant et des gibets regroupés pour les Bédouins. Aussi raconte-t-il la première fois où il a enfoncé une baïonnette dans un corps humain...

À 15 h 30, le 4ᵉ d'Infanterie commença la manœuvre, en avançant sur deux lignes placées à distance convenable avec des formations peu vulnérables et en ordre parfait. Cette avancée sur un terrain découvert en pente douce et sous le feu ennemi est apparue de la plage et des navires comme un exemple véritablement admirable d'application des critères tactiques les plus adéquats, et elle a pu être exécutée avec une participation croissante au cours de tout son développement. Le commandant de la brigade avait ordonné aux troupes, déjà fatiguées par les difficultés du matin, de poser leurs sacs. Avec une correspondance de temps parfaite, le général Ameglio a conduit personnellement l'attaque frontale des marins et d'un bataillon mixte du 4ᵉ et du 63ᵉ d'Infanterie.

C'est nous, deux pelotons du 4ᵉ et une compagnie et demie du 63ᵉ, qu'ils envoient entre le Sibbah et le lac Salé, pour couvrir les marins qui, entre-temps, protègent le débarquement. Les balles volent partout... Cette terre est sèche et rugueuse, les Bédouins sont comme des œufs de poux dans les cheveux… Il n'y a pas à réfléchir, il faut les débusquer et les empêcher de blesser les sapeurs qui mettent en place les pontons. Je ne sais même plus comment je suis descendu du bateau, je n'arrive même pas à le raconter. Sur la mer agitée, c'est saint Christophe qui nous a aidés en nous faisant monter sur ses épaules. D'accord, trempé, aussi mouillé qu'un poussin sortant de l'œuf, je me suis retrouvé sur la plage. Derrière moi, la mer agitée, devant moi, la terre agitée. Toujours la même chose… Tout est identique. Dans ces vagues de terre rouge nagent les Bédouins, rouges eux aussi. Et ils tirent. Nous étions trente dans un trou et dès que nous sortions la tête c'était un malheur. Ces maudits crient comme des animaux glapissants, comme des chiens enragés, parce qu'ils voient que les troupes italiennes, sortant des paquebots, commencent à assombrir le sable comme des crabes noirs. C'est pourquoi ils jubilent, les Bédouins, en se disant que soit on tire soit on meurt, et quand les balles sont finies soit on tue soit on meurt. Ça, je le comprends comme si je l'avais su depuis toujours. Dans le fossé c'est comme si nous étions enterrés vivants dans une tombe, on commence à dire que nous devons sortir de là… Qui est le plus élevé en grade ? Qui est-ce, bordel ? Mais il n'y a pas de plus élevé en grade dans cette fosse… Rien que des vautours en train de nous attendre. Un type qui essaie de sortir, il lui arrive une balle entre les deux yeux ; un autre ils le touchent à l'épaule. Nous ne pouvons pas nous montrer pour tirer, ces maudits tirent et tirent et tirent…

En revanche, il fut difficile de déloger les Arabes des tranchées ; les deux officiers supérieurs présents, le capitaine de frégate Franck et le lieutenant-colonel Gangitano, sont tombés tous les deux assez gravement blessés ; de même que deux commandants de compagnie et d'autres officiers. Le général Ameglio s'avança alors en première ligne et dirigea les troupes dans des attaques répétées à la baïonnette qui ont assuré en peu de temps la maîtrise des tranchées. Le soleil entre-temps tombait rapidement et la suite des opérations se déroula presque dans l'obscurité.

... Et ensuite ? demande Felice qui jusque-là n'a presque pas respiré.

... Il vaut mieux alors se vouer à quelque saint, «*ca in cue no fit cosa de b'essire bibu*», car il était certain qu'ils n'en sortiraient pas vivants... Le moyen, je me dis, c'est de faire ce à quoi ils ne s'attendent pas. Sortir, je me dis, moi, parce que ici on finira comme des rats. Et le rat, moi, je ne peux vraiment pas le supporter. Mais moi, qui va me tuer ? Hein ? L'obscurité tombe, je me dis : si nous ne pouvons pas les voir, eux non plus ne peuvent pas nous voir... Comme ça, je sors à découvert avec les balles qui me sifflent à hauteur des oreilles. L'obscurité vraiment noire et soudaine, des lumières seulement en bas sur la plage et les bouches des canons des cuirassés. Mais la mer s'est calmée. C'est une nuit étoilée, mais sans lune. Alors que je cours vers la plage j'entends un souffle haletant qui me suit juste derrière. Qui sait combien d'entre nous qui étions dans le fossé ont réussi à se sauver... On ne saisit pas ces choses quand on se bat, eh... Je cours, un Bédouin noir, non, rouge comme le démon m'apparaît, juste devant moi, nous sommes tellement proches qu'on dirait presque que nous nous rencontrons en chemin. Je fais un geste comme pour lui serrer la main, mais cette main est une baïonnette au canon du fusil. Il écarquille le blanc des yeux et il m'embrasse presque.

L'acier tranche les côtes du Bédouin comme une broche tranche les côtes de l'agneau antenais. Avec le bruit d'une chose tendre mais résistante qui est la peau sous la véritable peau. Celle qui recouvre les muscles... C'est elle qui au début offre une résistance, et c'est elle qui fait du bruit en se déchirant. Parce qu'elle fait la blessure comme une bouche qui suce l'acier, elle le savoure pour de bon, elle tète tout le goût de la lame. Ce goût qui, moi, je le sais, est goût de nuit...

Mais du goût de nuit, Samuele ne sait pas s'en rendre compte : c'est un sentiment sans explication. Aussi, pour le regard enfantin de Felice qui boit des histoires de guerre, ce récit s'achève dans l'embrassement nocturne entre le Bédouin et le fantassin Stocchino Samuele.

Toute cette pensée reste donc comme gardée entre la tête et la poitrine, rendue paralytique par la carence du langage. Mais elle bat malgré tout. Et elle engendre l'embarras de celui qui ne connaît pas le nom d'une chose. Embarras, un autre mot qui se manifestait avant de naître vraiment. L'embarras était une arythmie de la respiration, c'était comme... Comme au retour de la fête du baptême, à peu près dix ans auparavant, ou quand il s'était laissé engloutir par la nuit et qu'il était tombé dans l'abîme. Ou quand il avait décidé de s'enrôler pour la Libye...

La chose avait certainement son côté amusant.

« Je suis fatigué, maintenant », dit-il doucement avec un sourire à peine ébauché.

Felice le regarde, puis, comprenant à retardement, il fait signe qu'il l'est lui aussi et quitte la pièce.

Le 24 février 1912, au cours de la traversée qui le conduit de Benghazi à Tripoli, le fantassin Stocchino Samuele commence à cracher du sang.

C'est un petit héros local : pour le tir, il ne vaut pas grand-chose, mais dans le corps à corps il n'a pas de rivaux. Il se jette sur l'ennemi comme s'il voulait l'embrasser, il fait la guerre mâle en se faisant passer pour une femelle en chaleur. Il adore et envoûte l'adversaire, lui promet baisers et caresses, puis il le transperce avec sa baïonnette. Et l'autre, presque content, s'abandonne à la bonne mort de l'acier. Comme l'esclave fidèle soutient le poignard contre la poitrine du patricien pour qu'il se suicide, de même, lui, simplement, avec amour, il dispense la fin.

Oh, si toutes ses victimes avaient pu parler, si chacun de nous avait eu la possibilité d'interroger les corps inanimés et si ces corps bédouins, les poings serrés sur leur poitrine pour embrasser le poignard, avaient pu répondre, ils raconteraient avec quel très doux alanguissement ils se sont jetés en pâture au fauve, avec quelle légèreté ouatée ils sont tombés avant de goûter le sable brûlant. Et avec quel regard attendri, quelle très douce douceur, délicieux délice, ils se sont laissé transpercer.

Lui, c'est un petit héros local, le seul de la troupe qui s'acquitte sans protester de la tâche de constater, avec le lieutenant médecin, que la mort a eu lieu pour les condamnés à la pendaison. Parfois, même le lieutenant médecin en a assez des Bédouins qu'on laisse se dessécher sous la canicule, mais pas lui. Il fait son devoir méticuleusement : contrôle du pouls, miroir devant le nez.

Lui, c'est un fantassin, une nullité qui a trouvé un sens. Il se confond dans la masse, c'est un commis entreprenant dans la Boucherie Primée Italie. C'est un agent sur terre de la Maison Mort. Voilà quelque chose qu'il savait, mais qui n'avait pas de nom. Le loup qui bat dans sa poitrine a fait ses crocs.

II.
(On cherche une chose et on en trouve une autre :
de la fois où Samuele perdit sa virginité)

Si Felice aime les histoires de guerre, Gonario aime les histoires de femmes. Il est devenu hirsute et rude, son frère aîné, presque une icône du berger. Mais il est resté garçon de bergerie. Il a maintenant quelques moutons dont il est propriétaire qu'il peut faire paître en même temps que ceux de son patron. Quand il a eu dix-neuf ans il a perdu sa virginité avec une pute de passage. Et maintenant il veut entendre des histoires de petites Noires qui, dès l'âge tendre, l'ont mouillée et chaude.

Samuele hausse les épaules, il en a vu, consentantes ou pas. Il en a vu de celles qui cherchaient le corps blanc comme s'il s'agissait d'un bijou très précieux, ou qui en éprouvaient le dégoût comme si c'était quelque chose d'horrible. Il a vu des pelotons entiers abuser de vieilles aux nichons flasques et même de jeunes garçons. Gonario le harcèle :

« Mais toi. Hein ? Qui sait ce que... » et il sourit à sa manière, baissant la tête, ayant la pudeur de ses dents. Même maintenant qu'il est un homme fait, Gonario a gardé en lui des timidités et des embarras puérils.

85

« Là-bas, les femmes sont comme ici… » coupe Samuele.

Et c'est une réponse du genre de celles qui font rougir Gonario jusqu'aux oreilles.

Lui, Samuele, a plus aimé tuer que baiser. Mais ces choses-là ne peuvent pas se dire : aussi se limite-t-il à raconter, sans aller dans les détails, la fois où il s'est amusé avec la fille d'un chef de tribu. Ce qu'il ne dit pas c'est qu'il y avait aussi, avec lui, le caporal Políto.

Políto a vingt ans, c'est le fils d'un gros bonnet de l'armée, une très grosse huile, pas moins que général de Corps d'Armée, dit-on. Mais c'est une tête brûlée. La légende raconte que son père grand ponte s'est refusé à lui faciliter les choses ; puis que son frère aîné va devenir ambassadeur en Égypte ; et que sa petite sœur va épouser un comte Pallavicini. Mais on ne lit pas sur le visage de Políto Saverio toute cette noblesse. Il devrait être tout le temps puni, il devrait. Oh que oui, c'est une véritable tête brûlée, et le lieutenant Marchioro est pris de déman-geaison dès qu'il le voit dans un rayon de deux mètres… Il est grand, sec comme un Christ gothique. Il est pour-suivi par les racontars de caserne comme un renard par la meute des chiens : qu'il serait un fils illégitime de son père généralissime et d'une servante ; qu'il aurait com-mencé à se raser à dix ans ; qu'il aurait le zizi le plus long et le plus gros de toute l'armée ; que, dans son adoles-cence déjà, il aurait été l'amant de la Duse.

Bref, le lieutenant Marchioro fait appeler Samuele, qui se présente : salut, talons, à vos ordres, et tout le reste. L'autre, qui est en train de se soigner un abcès dentaire en le tamponnant, ne se retourne même pas...

Il est dix heures du soir, il fait une chaleur étouffante qui se cramponne aux épaules. Marchioro a reçu Samuele directement dans sa chambre personnelle, qui est une petite pièce nue, presque une chapelle de cimetière : il y a à peine assez d'espace pour une couchette, une table de nuit, une cuvette. Non, ce n'est pas grand-chose, mais toujours mieux que de dormir dans la chambrée avec quarante ou cinquante autres, ou mieux que de dormir sous la tente avec les animaux nocturnes qui ne reconnaissent pas les barrages de toile... Marchioro, avec le regard d'un martyr protochrétien, prépare une veste de grosse laine sur la chaise à côté de son lit.

« Le froid va bientôt arriver... » commente-t-il plus qu'il ne dit.

Samuele se raidit en améliorant, comme en ciselant, son salut militaire maladroit.

« Repos, repos Stocchino... Tu sais, n'est-ce pas, la raison pour laquelle je t'ai fait appeler ? »

Samuele ne répond pas, car il sait que, de toute façon, le lieutenant lui dira quand même ce qu'il a à lui dire.

« Políto », dit-il en effet, et rien d'autre.

Samuele fait signe que oui, Políto.

Puis le lieutenant ajoute : « Au Dragon-Noir. »

Samuele fait le salut militaire, le théâtral, quand le jeune premier sort de scène. À présent, par la porte entrebâillée, on commence à sentir que le vent tiédit déjà.

Políto, personne n'y touche, bien qu'on dise le contraire. Il fait ce qu'il veut et au Commandement ils ferment les yeux et les oreilles. Là, par exemple, il y a bien deux kilomètres de la garnison à Barce. Et il faut aller, avec discrétion, le sortir du bordel.

Le Dragon-Noir est un local public où les gars jouent leur cartouche de cigarettes ainsi que leur permission, et il arrive qu'ils jouent aussi leur santé... Les filles qu'ils peuvent se permettre ne sont pas toujours saines. À vingt ans, certaines ressemblent déjà à des vieilles : maigres, édentées, les seins flétris, les visages squelettiques... Mais Políto sait choisir, pour lui, à quinze ans, elles sont déjà trop vieilles.

Lorsque Samuele entre dans la chambre qui lui a été indiquée, Políto est en train de se démener avec une petite Noire qui crie à chaque coup... Le spectacle est un ensemble indescriptible de corps difformes : le cul poilu et les cuisses nerveuses de Políto, les chevilles brunes et les plantes des pieds rosées de l'enfant. Oh, ce n'est vraiment qu'une enfant. Samuele fait du bruit avec la porte et ses talons pour que le caporal entende qu'il est entré. Celui-ci l'a entendu, mais il ne se retourne pas, ni ne s'arrête, au contraire il tape plus fort et la fillette crie plus fort. Quand enfin il s'arrête et sort de la petite Noire, Samuele a tout le temps de vérifier la véracité des légendes sur l'engin de Políto. Certes, il devrait se sentir embarrassé, mais Samuele a vu de tout dans ses constats de décès pour le lieutenant médecin. Il a vu des choses échappées d'un vivant qui était mort avant qu'il ait pu se rendre compte qu'il les avait laissées fuir :

des pendus qui se sont cagué dessus, qui ont éclaté en vomissements dès que le nœud a été desserré ; des corps qui pètent et pissent. Jusqu'à des érections sous les tuniques...

Aussi, devant le caporal nu, en sueur et en érection, il lui semble presque voir la forme vitale de cette mort qu'il a appris à fréquenter.

Políto comprend très bien ces choses, il est, lui, de ceux qui semblent être toujours sur le point de se suicider, mais qui, pour une raison obscure, changent toujours d'avis et se persuadent alors soit qu'ils sont immortels, soit qu'il revient à d'autres de les tuer. Peut-être à la gonorrhée, ou à la malaria, ou à la fièvre jaune ; ou bien à un mari cocufié, ou à une femme abandonnée. À un fils non reconnu, mais pour cela, il y a encore du temps. Partout, le caporal de vingt ans n'a rien fait d'autre que de semer sa fin, comme des miettes de pain dans le bois. En tout cas, qu'il ait fini ou pas, Políto saisit son pantalon et l'enfile en mettant à l'abri son érection... La petite Noire sur le lit maintenant ronronne.

« Ça suffit, hein ! » feint de la réprimander Políto, mais la fillette se pousse vers lui, elle le saisit à la taille, essaie de le déboutonner... « Ça suffit, maintenant je dois m'en aller... » dit-il en regardant Stocchino.

Mais la fillette ne cède pas. Samuele, sans mot dire, va sortir : « Stocchino ! » l'appelle Políto. Samuele s'arrête. « Mais toi, tu sais l'utiliser celle-là aussi, de baïonnette ? » demande-t-il en indiquant son entrejambe.

Samuele ne répond pas. Políto, entre-temps, a presque fini de boutonner sa chemise. « Viens là », semble-t-il ordonner. Samuele attend quelques secondes, puis s'avance vers le lit. Políto sourit à la fillette, et elle lui sourit. Le caporal fait signe au fantassin de s'approcher encore un peu, il sent la nuit, le fer et le sang ; puis il saisit Samuele par la ceinture du pantalon : « C'est payé... dit-il. Je vais boire quelque chose, ensuite on rentre tranquillement. » Sans attendre de réponse, il sort en rentrant sa chemise dans son pantalon...

« Une pute africaine... » commente Gonario qui n'a pas perdu une virgule du récit et qui est devenu violet.

Samuele se met à rire et, pendant qu'il rit, a un accès de toux. « Aide-moi à me lever, maintenant », demande-t-il.

Gonario le redresse comme si c'était un enfant. Il a une carrure remarquable et la vie en plein air l'a rendu sec et l'a bruni. Il le place assis sur le lit, peu à peu la toux s'éteint. Samuele recommence à respirer.

« Et alors ? demande Gonario quand la respiration de son frère redevient régulière.

– Et alors quoi ? répond Samuele en se moquant de lui.

– Eh bien, tu sais... répond l'autre embarrassé.

– Qu'est-ce que tu veux savoir ? demande encore Samuele – il joue au chat et à la souris.

– Rien, comme ça... répond Gonario en prenant son temps. La pute africaine était payée, n'est-ce pas ?

– Políto me laisse seul avec la fillette et on peut imaginer le reste », achève Samuele.

Mais non, il n'imagine pas le reste, il ne l'imagine pas du tout...

Depuis qu'il est revenu chez lui en convalescence Samuele semble presque sage. L'Afrique en a fait un homme, maintenant, par exemple, il marche droit et sûr de lui, malgré la fièvre pulmonaire qui l'a beaucoup affaibli. Tout ce qui en lui était à peine esquissé, comme estompé, apparaît à présent parfaitement dessiné : la ligne du cou, le tendon du poignet. Gonario, par moments, a l'impression que ce n'est pas son frère. Quand le docteur Milone lui fait relever sa chemise pour l'examiner, Gonario pense chaque fois que, habillé, il semble plus maigre...

Ce qui fait peur chez Samuele, c'est qu'il arrive toujours à un pas de la mort, puis même la mort ne veut vraiment pas de lui et le renvoie en arrière.

Dans cette chambre du bordel, une fois seul avec la fillette, Samuele a pensé s'échapper. Depuis le lit elle lui joue tout un scénario de simagrées, mais lui, debout, ne voit que lui-même.

« Comment tu t'appelles ? lui demande-t-il, la gorge serrée.

– Teresa », dit-elle. En scandant les lettres de ce nom incongru avec la perfection de qui a étudié cette réponse dans les moindres détails.

« Quel âge as-tu ? » murmure Samuele...

La petite Noire le regarde : « Je ne te plais pas ? demande-t-elle. Tout est payé », l'encourage-t-elle et doucement elle écarte ses cuisses.

Il y a dans la pièce, semble-t-il à Samuele, une odeur de viande faisandée.

La nuit est tombée avec la violence d'un rideau de scène à guillotine et il commence à faire froid. Samuele a un frisson, il regarde la fillette encore une fois, puis il déglutit.

« Tu es hontable, dit-elle. Toi pas ici autre fois. »

Samuele confirme avec la tête : c'est ça, il n'est jamais venu ici.

« Oui ? se méprend l'enfant.

– Non, non, dit Samuele.

– Viens ici », le presse Teresa.

Et Samuele se voit quand, dans l'obscurité très tendue de l'embuscade, serrant le couteau dans le poing, il fait la même invitation au Bédouin ou au perfide ennemi turc : « Viens ici... » Et l'autre arrive.

Aussi fait-il un pas en avant...

« Hontable », murmure Teresa pendant qu'elle lui déboutonne le pantalon. Puis, après avoir libéré son pénis, elle s'étonne comme une petite actrice du ciné-matographe, comme si elle voulait le gronder d'avoir douté : « Toi pas honte. Mon zeigneur pas honte. »

Samuele est debout, Teresa a pris son sexe dans sa bouche...

Éprouver quelque chose qu'on n'a jamais éprouvé peut signifier ne pas se reconnaître. Samuele à présent, alors que son corps raisonne et réagit de façon auto-nome en dehors de lui, a l'impression de se voir du haut de la crevasse après le cerf et les autres animaux. À pré-sent, c'est vraiment lui dont la tête dépasse la ligne du rocher pour se regarder lui-même embrassé par le genévrier, vingt, trente mètres plus bas.

Et il ne se reconnaît pas encore, mais il se souvient à

la perfection de la langueur de la chute. Voilà, cette langueur est toute dans la pulsation très violente qui ébranle sa poitrine.

Teresa le saisit aux hanches et l'invite à faire un mouvement en avant. Elle le mange, voilà ce que c'est, elle est en train de le manger vivant, et lui, nourriture qui palpite, découvre la générosité passionnée de devenir soi-même pitance. Encore un instant et il n'est plus nécessaire de le guider. De Samuele on peut tout dire, mais non qu'il n'apprenne pas vite...

III.

(À la grande chasse comme à l'assaut et au pillage)

Les nouvelles de Tripoli ne sont pas bonnes, pas du tout. Les alliés se font ennemis, les brebis se font loups. Pendant qu'ils constatent le décès survenu de six rebelles, le lieutenant médecin dit à Samuele que là où ils se trouvent, sur le versant de Benghazi, ce sont des vacances. Des vacances faites de sorties quotidiennes, de petites attaques à partir du désert, d'oasis dangereuses comme des pièges à rats, d'eau polluée et d'insectes meurtriers, bien entendu. Mais des vacances tout de même, parce qu'à Tripoli il y a eu la révolte. Ils ont d'abord fait semblant d'accueillir les Italiens comme des sauveurs, puis « ils n'ont pas tenu parole ». Ils en parlent ainsi, dans la chambrée. Mais Puddu d'Oliena, qui a fait ses études à Rome, dit que ce n'est pas vraiment de la traîtrise que de lutter pour sa terre.

« Eh, par Dieu, y sont pas tous aussi couillons que les Sardes, hein ? »

Ça ne fait certes pas plaisir de se l'entendre dire, mais cela a son fond de vérité.

« Mais nous, insiste-t-il, qui bordel nous l'a dit, hein, que nous étions devenus italiens ?

– C'est beau, confirme Mariani d'Orune, faire les chiens de garde sur la terre d'autrui après avoir cédé sa propre terre. »

Mais ces discours semblent à Samuele des choses de l'autre monde. Non parce qu'il ne comprend pas ses compagnons d'armes et que, au fond de lui-même, il n'est pas d'accord, mais parce que pour lui les choses sont les choses : on pense pouvoir y mettre les mains, on pense pouvoir les déterminer, mais pas du tout. C'est là une sagesse qui n'a pas d'âge : elle fait partie de ce que l'on sait sans savoir comment on le sait. Et ce qui était très clair, même à Benghazi, c'était que, où qu'il se tournât, il pouvait voir ou entendre un Sarde. Et que ce Sarde, lui inclus, n'avait en effet aucune raison de se trouver là.

« Sans compter, insiste Puddu, que nous, on nous a traités exactement comme ils nous demandent de traiter les Turcs, et ils nous ont même traités pire. »

Samuele alors le fait taire, parce qu'il sait qu'ils se trouvent au bord d'un précipice où entre le fait de dire les choses qui sortent de la bouche et finir le dos au mur devant le peloton d'exécution il n'y a qu'une toute petite marge.

« Tais-toi, dit-il, bouche cousue ! »

Car, même quand on a raison, il faut trouver le temps et le lieu pour exprimer ses raisons. Non ? Ce n'est pas ainsi ? Apprendre qu'il y a des règles est la meilleure manière non pas pour obéir, mais pour désobéir. Quant à lui, Samuele, il s'y est habitué à force d'entendre des théories sur ce qui est juste et ce qui est erroné. Et ils sont, eux, tous de très braves garçons, c'est vrai, mais ils n'ont pas compris que les maîtres deviennent maîtres justement parce qu'ils ont des règles, ils vont jusqu'à se les fabriquer, et eux, en train de dire ceci et cela, ne deviendront jamais maîtres, et ils resteront toujours seulement des manants, parce qu'ils n'aiment que les règles que doivent suivre les autres.

« En dehors de la Sardaigne nous sommes tous des Sardes, murmure Samuele, qui n'arrive vraiment pas à se retenir, mais dedans, chez nous, dans le village, nous agissons chacun pour soi. »

Puddu d'Oliena est obligé d'admettre que c'est comme ça, mais il le fait avec l'air de quelqu'un qui ne pense pas la concession qu'il accorde. Et il commence à dire, en effet, qu'il est juste, et sacré, de s'opposer aux lois et aux règles des tyrans. Et à dire encore que l'autodétermination des peuples et tout ce qui s'ensuit... Samuele ne l'écoute même pas, Mariani d'Orune fait oui de la tête mais on voit bien qu'il pense à autre chose.

« Et alors, pourquoi t'es venu à la guerre ? » demande à brûle-pourpoint Samuele à Puddu d'Oliena.

L'autre s'interrompt et tout à coup le regarde : « Compère... tente-t-il.

– Je ne suis pas ton compère, qu'est-ce que c'est que ça, serions-nous devenus tous compères maintenant ? Allez ! le défie-t-il. Pour quelle raison t'es-tu venu à la guerre ? »

Puddu d'Oliena s'assombrit : « Parce qu'on m'y a obligé, dit-il sèchement.

– C'est exactement ce que je voulais dire moi : si t'es patron, il n'y a personne qui puisse t'obliger...

– Et toi, alors ? intervient Mariani.

– Moi, je suis venu parce que je l'ai décidé. Pour mon compte, car je suis mon propre maître », coupe Samuele.

En tout cas les Arabes armés qui devaient être reconnaissants à l'égard des sauveurs italiens attaquèrent, depuis les oasis, les lignes entre Bu Meliana et Gargaresch, tandis que les Turcs attaquaient par la mer. Les bersagliers du 11ᵉ étaient comme un cerneau dans un casse-noix, disait-on. Dans la ville de Tripoli aussi, on commença à tirer sans préavis depuis les maisons et les ruelles contre les soldats italiens. Là on comprend tout, et on comprend les différences qui circulent entre la philosophie et la pratique de la vie.

Le lieutenant Marchioro haussa les épaules : « Et maintenant on va voir », dit-il.

Personne ne fit de commentaires, il était clair que Marchioro était militaire par vocation, comme devraient l'être un prêtre ou un médecin.

« Maintenant on va voir », répéta-t-il.

Les correspondances de Tripoli racontaient des choses terribles : quatre-vingts bersagliers du 11ᵉ s'étaient barricadés dans le cimetière d'Henni, quarante d'entre eux avaient été capturés par les Arabo-Turcs.

« "Les petits bersagliers, tombés le 23 octobre, ne moururent pas seulement en héros, mais aussi en martyrs" », lut Marchioro, d'une voix cassée.

De toute évidence il était soldat parce qu'il pensait qu'il devait y avoir un territoire, un champ de bataille où l'homme plaçait également toute sa civilisation. Mais on avait compris à Tripoli qu'il faut aussi octroyer aux peuples le droit de choisir leurs oppresseurs. Qu'est-ce que faisait à Henni le fils du boulanger, celui qui était mort crucifié, châtré, mutilé? Hein, qu'est-ce qu'il y faisait?

Le lieutenant médecin l'invita à baisser la voix. «Tu es épuisé et ce climat t'affaiblit», décréta-t-il.

Marchioro fit signe que oui. «Maintenant on va voir», répéta-t-il, dans un murmure presque imperceptible. Puis rien d'autre.

Et voilà ce qu'on voit: la machine de la répression fonctionne à un rythme très soutenu. Ces Italiens, de braves gens tant qu'on veut, mais il ne faut vraiment pas les mettre en colère, eh non. Car Tripoli, ils sont en train de la retourner comme une chaussette. «Là, t'aurais de quoi faire, dit un jour Políto à Samuele. Pour compter tous ces morts», précise-t-il.

Sur les esplanades obtenues dans les quartiers rasés par les canons et les mitrailleuses, ils ont planté des forêts de gibets, les femmes et les enfants sous les décombres, les adultes mâles et les garçons pendus au vent. Ceux qui y sont passés disent que l'odeur de mort est tellement forte que l'on vit en se bouchant le nez sur un rayon de vingt kilomètres autour de Tripoli. Samuele croit tout comprendre très bien, il croit même sentir l'odeur douceâtre qui s'exhale de la peau du pendu, et il croit encore pouvoir établir que la mort est, au fond, quelque chose de très simple, comme de manger et de boire. Dans sa pensée d'enfant la mort était une soustraction cruelle, puis il a appris que ce peut être aussi une éventualité bienveillante... Lui, il imagine la mort du bersaglier crucifié, et il se l'imagine comme la mort qui assiste à la vie de quelqu'un qui ne l'a pas désirée, jusqu'au moment où elle est acceptée et on lui permet d'interrompre toutes les souffrances. Voilà, il l'imagine, le sourire de ce bersaglier qui a en lui tant de jeunesse qu'il ne pense même pas à se laisser mourir, comme ça, pour cesser de souffrir.

Puddu d'Oliena raconte l'histoire d'un de ses parents qui avait une affaire de terrains avec un propriétaire de Mamoiada et qu'un jour on a trouvé lié à un arbre, mis en pièces. La tête d'un côté, de l'autre les mains, un pied entier, l'autre probablement dévoré par un sanglier. Et il y avait enfin le torse qui était resté lié au tronc. Il est clair que l'on sait qui a fait ce massacre, n'est-ce pas? Mais non, ils disent qu'il manque des preuves certaines, jusqu'au moment où un médecin trouve dans la bouche du cadavre le moignon d'un doigt avec un anneau. Deux plus deux égale quatre : ils vont chercher le propriétaire de Mamoiada, qui, comme par hasard, a une main bandée à cause d'un doigt coupé et, comme par hasard, le même doigt que celui qu'on a trouvé dans la bouche du mort. Ils lui demandent de montrer sa blessure, mais les commis bergers et les gens de la famille s'empressent de témoigner que le doigt, l'patron, il se l'est coupé en taillant du bois ; et alors on lui demande de montrer le doigt, mais il répond qu'il l'a enterré pour qu'il le précède chez Notreseigneur. Aussi lui montrent-ils l'anneau et il dit que oui, que l'anneau effectivement lui appartient, mais que quelqu'un le lui a volé quelque temps auparavant. Alors le maréchal qui est allé l'interroger lui dit qu'aucune de ses réponses n'a de sens, que ce doigt trouvé dans la bouche du mort, plus exactement extrait de la gorge tranchée du cadavre d'Eusebio Pillittu, son ennemi juré, est bien le sien, clair comme le jour. L'autre, le propriétaire de Mamoiada, raconte alors qu'entre les deux adversaires il y avait une troisième personne et que cette troisième personne lui a tranché le doigt et qu'il l'a fait ensuite retrouver dans la bouche du cadavre. Le maréchal lui demande donc de donner le nom de la troisième personne, mais il s'y refuse, il dit qu'il ira plutôt en prison, mais qu'il ne mouchardera pas. Alors le maréchal dit que d'accord, qu'il le suive à la caserne, puis on voit si le doigt qui manque est le même, si l'anneau a été volé ou non, s'il existe un troisième participant à la dispute qui se la coule douce. Alors le propriétaire de Mamoiada dit : un instant, le temps de saluer ma femme qui prépare les cochonnailles à la cuisine. Ainsi, en un instant, tout arrive : quelques minutes après, aussi blanc qu'un drap passé à l'eau de Javel, le propriétaire de Mamoiada se rend aux carabiniers, tout est comme avant, si ce n'est qu'il n'a plus de main... Le maréchal met un peu de temps avant de comprendre ce qui s'est passé, mais quand il comprend, c'est trop tard, en écartant tout le monde il parvient à la cuisine où les fermières et la maîtresse de maison sont en train de mettre la chair à saucisse dans les boyaux. Le propriétaire de Mamoiada, en soutenant son moignon, tombe par terre. Le maréchal revient de la cuisine juste à temps pour le voir tomber, la main a été tranchée de son poignet par un coup net de couperet, mais comment le prouver ? La chair et les os ont été broyés par les

fermières… Impossible de reconstituer la main, impossible de rien prouver quoi que l'on veuille prouver…
À l'hôpital, ordonne le maréchal, emmenez-le à Nuoro à l'hôpital sinon il va mourir après avoir perdu tout son sang…

Puis Puddu d'Oliena se tait. Certains le regardent.

« Voilà, essaie-t-il d'expliquer. Qui sait si nous, sur cette terre lointaine, nous ne sommes pas comme ce propriétaire de Mamoiada qui a risqué de mourir en se mutilant plutôt que d'admettre son crime… »

Políto ne sait pas s'il doit rire ou quoi.

Samuele le regarde, il a une lumière presque bonne dans les yeux : « Nous ? demande-t-il à un certain moment, mais c'est une façon de parler. Nous, nous sommes comme le doigt dans la bouche », conclut-il.

Et cela Políto le comprend.

De toute façon les ordres sont arrivés, nous devions nous rendre à Tripoli : là-bas, les choses allaient mal. Et alors on nous dit d'embarquer aussitôt, que le 4e part tout entier pour appuyer le 56e. Le lieutenant médecin me demande si je vais bien. Et moi, je réponds que, pour tout dire… je me sens fatigué, et il y a cette toux qui ne me lâche pas. Ensuite, on m'appelle au Commandement. Marchioro me remet une enveloppe : on me fait caporal. Puis il faut préparer les affaires pour le transfert.

Donc, nous y sommes : le 24 février 1912, pendant la traversée qui le conduit de Benghazi à Tripoli, l'état du fantassin Stocchino Samuele, à présent caporal, s'aggrave, il commence à cracher du sang. Les conditions de navigation sont terribles.

Comme s'il mourait. Si ce n'est qu'il peut s'en souvenir.

Les navires chargés de militaires sont obligés de longer les côtes en raison d'une terrible tempête. Samuele, qui n'a plus de force, halète comme un poisson tiré sur le rivage. Et il sait, lui, ce que ça veut dire et ça ressemble pour lui à la loi du talion, parce que mille fois et plus il était resté à regarder la bouche grande ouverte des poissons qu'on envoyait mourir dans les rochers qui délimitaient le rivage. Il regardait le poisson et le poisson le regardait comme s'il demandait grâce, et il se cambrait pour retomber dans l'eau et respirer...

« Ne restez pas là ! » crie Políto pour se faire entendre en hurlant plus fort que le grincement de l'eau qui gratte la coque.

Puis des coups terribles. Terribles. Par rafales, comme des coups d'épaule. Des masses d'eau contre les flancs. Ceux qui savent prier commencent à prier et il y a encore au moins sept heures jusqu'au port de Tripoli.

Sept heures qui deviennent seize. Le lieutenant médecin a ordonné de l'eau et du sucre pour Samuele, mais il est clair qu'il n'arrivera pas à Tripoli.

Cette traversée devient une épreuve générale. Il sait, lui, qu'il se trouve vraiment dans l'antichambre de la mort. Il le comprend parce qu'il lui semble que le paquebot a tout à coup cessé d'osciller. Il est plongé dans un sommeil empâté, il suce l'air par un tuyau comme il lui arrivait de le faire lorsque, enfant, il devait avoir à peu près treize ans, il plongeait dans l'eau dormante pour effrayer les femmes au lavoir en tirant les draps depuis le fond du bassin. Il sait qu'il est arrivé précisément devant Madame la Mort, parce qu'il peut se voir lui-même assis à son propre chevet...

Je me vois blessé avec la lèvre qui saigne et je me regarde, et ce que je vois me fait de la peine. Serais-je donc ce tas d'os étendu sur la couchette ? Serais-je donc ce sac vide frappé par les vagues ? Et quelle fin a donc été celle de Stocchino Samuele caporal ?

Qui sait, dit-on au village : mort en Libye, comme les meilleurs jeunes que nous avions. Fièvres pulmonaires, quel dommage, car il s'était mis en valeur... Non, non, il ne faisait pas rire derrière lui, c'est certain. Mort en mer, p'tit trésor, mon petiot, mon pauvret. Et puis, quelle mort, oh une grande dame de mort, de celles qui sont très très lentes, dans le malaise, dans la sueur et même dans le délire. Et on le voyait en chair et en os même là où il n'était pas, assis sur son lit de mort, exactement comme il fait maintenant. Puis il sent qu'on le transporte, non par la mer, il a laissé dans la mer sa dépouille mortelle. Non, là où il se sent transporter maintenant, c'est un endroit près d'Osini, S'Argiola 'e sa Perda ça s'appelle, un endroit de chênes verts. Il se voit là, maintenant, transporté par trois hommes avec des chapeaux, un qui le soutient par les aisselles et les deux autres par les jambes : l'embrassement du genévrier. Les hommes courent dans le bois et soufflent au-dessus de lui, parce que cette loque humaine, avec sa lèvre saignante, qui, en mourant, semblait aussi frêle qu'un roseau, est bien plus lourde que prévu maintenant qu'il faut la transporter.

Le ciel de S'Argiola 'e sa Perda est bleu comme les barbes des ogres ou comme les casaques des hussards français, bleu comme l'abîme quand il devient crémeux... Bleu de la couleur du rêve car on se rend toujours compte après coup qu'on a rêvé en couleurs et ce dont on se souvient c'est d'une couleur terrible, plus couleur que la vraie. Ce ciel est bien plus qu'un ciel, c'est le rêve d'un ciel. C'est un délire sans nuages, le plafond d'une église de campagne...

Ils marchent en traînant le corps de Samuele, les trois hommes avec des chapeaux, et plus ils avancent plus le terrain reprend le corps en le happant vers le bas. Les trois hommes sont fatigués, ils traînent presque le corps contre les pierres, contre les buissons bas, les orties, les chardons, les pousses. Cette charge traînée, ce halètement, ce relâchement, cette désarticulation lente des coudes et des genoux, qui doucement cèdent à la traction, voilà : c'est tout cela que voit de lui Samuele Stocchino, caporal, pendant que le paquebot lutte pour ne pas sombrer dans les eaux de Libye. Et pourtant on a décidé de naviguer en longeant la côte...

Dans sa bouche, il a une nuit d'abîme : de sang pourri, de fer. Un goût glacé de sentiments inexplicables, comme tomber et remonter. Comme résister et se laisser aller...

Cette nuit-là, Gonario Stocchino a une vision... Il est en train de dormir quand la petite porte d'un parc s'ouvre grand : c'est un jeune garçon. Il pleure, il dit qu'il s'est perdu. Gonario s'assoit, encore abruti par le sommeil. Comment ça, perdu : *cuius es*, qui tu es ? demande-t-il. Stocchino Samuele de Felice de ceux des Crabile, répond le petit garçon. Alors Gonario a envie de rire, parce qu'il sait que, lorsque les visions ont lieu, les visions ne sont jamais des choses que l'on connaît, mais des choses mystérieuses et inconnues, des choses que l'on ne peut même pas raconter. Cependant son cœur simple comprend que cette image qu'il a devant lui ne peut en rien être son frère, qui se trouve à présent en Libye en train de combattre les infidèles. Cependant son cœur simple comprend que le mystère dans sa famille peut être un double mystère, ou une prémonition, ou un signal. Toute cette affaire de penser et de se creuser la cervelle le trouble un peu, mais il dit quand même au garçon d'entrer. Le garçon entre, la lueur des braises aide à préciser son visage. Certes, pense Gonario, ce pourrait être Samuele qui me fait dire quelque chose d'on ne sait où. Quel mal y a-t-il d'ailleurs ? Et qu'y a-t-il d'étrange ? Le sang appelle, le sang répond. Assieds-toi, dit Gonario au garçon, passe la nuit ici, dit-il, et demain on arrange tout, tu as mangé ? demande-t-il. Mais le petit garçon ne semble pas être une entité qui ait des exigences charnelles, il semble perdu, il regarde autour de lui. Gonario est un peu inquiet de ce silence trop chargé, lui, il aime le silence vide des troupeaux. Aussi demande-t-il au garçon s'il a sommeil... Le garçon fait signe que non. Mon frère s'appelle comme toi, dit à un certain moment Gonario, il est à la guerre en ce moment. Le garçon fait

signe que oui, qu'il le sait. Qu'il sait aussi tout ce que
Gonario ne sait pas qu'il sait. Est-il une vision ou non ?
Moi, je veux te dire que ton frère est à la frontière,
allongé sur la ligne qui sépare les vivants des morts...
Gonario voudrait trouver les mots pour répondre, mais
le garçon lui fait signe de la main pour qu'il se taise :
haine, trahison, calomnie sont en train de l'entraîner de
la terre à la terre, des vivants aux défunts... Lorsque
Gonario ouvre les yeux le feu s'est éteint et les braises
murmurent à peine.

Cette nuit-là, le sommeil de Genesia Stocchino est
gêné par une chouette. Cette bête ocellée est venue se
poser sur la branche d'un marronnier qui effleure les
vitres de la fenêtre de sa chambre. Humblement, elle
commence à appeler. Genesia fourre sa tête sous son
oreiller et se met à prier car elle ne peut vraiment pas
faire cadeau de son sommeil, chez le notaire où elle sert
il y a toute une fièvre de préparatifs pour le mariage de
la fille aînée, et donc une montagne de choses à faire
en vitesse. Mais l'oiseau ne cède pas et, à bien l'écouter,
il est en train de toujours dire la même chose : chair de
martyr et prières, chair de martyr et prières, chair de
martyr et prières... Et plus Genesia écoute, plus il lui
semble que les mots sont parfaitement scandés. Certes,
les nouvelles de Libye n'ont pas été bonnes, on dit chez
le notaire que pour les Italiens ça va comme pour
quelqu'un qui a acheté une brebis jeune et laitière mais
qui découvre à la place qu'elle est vieille et desséchée.
Chair de martyr et prières. Il n'y a pas de nouvelles de
Samuele, certains revenus sans jambes ou borgnes

racontent qu'ils ont entendu dire qu'il était vivant, mais le 4e a subi de lourdes pertes et ils disent aussi qu'ils le transfèrent de Benghazi à Tripoli...

Políto approche son nez de la bouche de Samuele : il respire, il respire, dit-il. Puddu d'Oliena essaie encore de lui humecter les lèvres comme le lieutenant médecin a dit de faire. Tripoli apparaît, pas très loin. La mer s'est comme pétrifiée. Encore un moment et ils préparent le brancard.

À l'hôpital militaire, les médecins, comme des sages-femmes, extraient Samuele de l'utérus de la mort. Un miracle, disent-ils, les possibilités de survivre à un collapsus du poumon étaient extrêmement minces. Maintenant il a besoin de repos, on le libère et à la maison.

Non, prie Samuele, pas de libération, non. Une convalescence et à la maison, mais pas de libération, parce que je guéris, chez moi je guéris. Le lieutenant médecin le regarde d'un air un peu égaré, d'accord Stocchino, mais avec réserves. D'accord, répond Samuele.

Ainsi, dès qu'il se remet debout, dès qu'il est en mesure de faire quelques pas dans le couloir de l'hôpital militaire de Tripoli, il demande déjà que l'on entame les démarches pour la permission et la convalescence.

Il arrive à Naples plus mort que vif. Pendant sept jours il est hospitalisé à l'infirmerie de la Capitainerie de Mergellina, puis deux mois au sanatorium de Pouzzoles. Un matin très froid, sans attendre aucune autorisation, il s'embarque sur le premier bateau pour la Sardaigne.

Et le voici qui rentre au village... Janvier 1913. Ensuite, il raconte: à Felice les histoires de guerre, à Gonario les histoires de femmes...

IV.
(Des légendes et encore des légendes)

Première légende.

La première légende raconte que Samuele est revenu chez lui de Libye plus mort que vif. Sur le premier panneau de la toile du *cantastorie*, du chanteur ambulant, il est représenté comme émacié, squelettique, alors qu'il titube dans les ruelles désertes du village. Puis on décrit son entrée chez lui comme l'apparition du spectre de Tolu, le non mort. Antioca est en train de ranger, Genesia est sortie depuis longtemps. Gonario n'est pas rentré depuis quatre jours. Felice est au pressoir pour la préparation des olives. Les deux petits sauvageons sont à Oristano, grâce à Dieu.

Voilà comment les choses se seraient passées : Samuele n'entre pas dans la maison, il reste debout sur le seuil, Antioca le reconnaît avant qu'il ait pu dire quoi que ce soit, elle écarquille les yeux et porte la main à sa bouche pour ne pas crier. Que lui a-t-on rendu de son fils ?

Sans parler, elle le prend par les mains et l'accompagne à l'intérieur pour qu'il s'assoie. Samuele se laisse conduire comme s'il n'avait pas de volonté personnelle, mais c'est seulement que les forces lui manquent. Il a les yeux hagards, ce Samuele qui est une image *isarbulía*, engourdie, de celui qui est parti deux ans plus tôt.

Sa petite barbe est à peine dessinée, clairsemée, ses mains tremblent et il respire péniblement.

Antioca parle enfin :

« Mon petit, ma créature... » murmure-t-elle.

Samuele invente une espèce de sourire, puis il fait un signe de la tête pour dire qu'il n'est pas comme il semble, qu'il va bien, qu'il n'est que fatigué.

Sur le deuxième panneau de la toile du *cantastorie*, il est représenté au lit, comme un ex-voto. Il y a tout, même le nuage qui soutient la Madone et Antioca en train de lui adresser une prière pour la santé de son fils qui est revenu. Assis au pied du même lit se trouve Felice qui écoute les histoires de guerre racontées par son fils.

En effet, sur les panneaux qui suivent, Samuele est un héros, la terreur des infidèles, le tigre féroce, le soldat décoré.

Puis l'histoire change parce que le miracle a lieu et que Samuele reprend ses forces : personne n'y croyait, tous le donnaient pour mort, et au contraire... un geste du petit nuage dessiné au-dessus de la couche du malade, et le voilà debout.

Sur le panneau central de la toile, aux couleurs vives, on voit Samuele qui lève les bras au ciel et crie. La journée est limpide, tout fleurit en un printemps inimaginable, mais absolument paradisiaque. On ne peut pas croire qu'une ornementation pareille existe dans la nature, et en effet elle n'existe pas. Même le village d'Arzana représenté sur ce panneau est une crèche de petites maisons naïves et douces, d'une douceur de pâte d'amandes.

C'est ainsi qu'on décrit les histoires édifiantes des belles âmes que le Destin conduit à la fuite.

Le bonheur ne dure qu'un panneau et il a le visage de Mariangela. C'est elle qui l'a retrouvé quand il était au fond de la crevasse et là elle le retrouve. Lui, il ne le sait pas encore, mais elle l'a choisi depuis qu'il était enfant. Quand ils se revoient, lui est aussi sec qu'une branche de genévrier, elle, elle est aussi ronde et menue qu'une baie de genévrier. Une même plante...

Puis on entre dans l'histoire habituelle du bonheur interrompu. Oui, parce que Mariangela est très courtisée.

Presque à la fin de la toile, dans un carré en bas, on peut la voir alors qu'elle refuse avec indignation les attentions d'un riche propriétaire. Son regard dit : je ne cède pas. Comme certaines saintes martyrisées qui portent sur des plateaux leurs propres organes, mais gardent une distance, presque une indifférence vis-à-vis du martyre qui les a mutilées. Mariangela a cette rage, mais aussi cette indifférence.

Sur le panneau suivant, Samuele frappe le propriétaire d'un coup de couteau en plein cœur.

Le *cantastorie* dit sans le vouloir que le félon a obtenu ce qu'il méritait : un dahlia de sang rouge rubis. Samuele est une main qui frappe, un couteau qui pénètre en brisant le sternum. L'infortuné ouvre les bras comme pour accueillir de bon gré tout ce qui lui revient...

111

La première légende s'achève précisément avec Samuele qui sauve l'honneur de Mariangela.

Deuxième légende.

La deuxième légende concerne la chaîne qui unit indissolublement Samuele à Mariangela. On comprend que de son point de vue à elle, plus païenne que religieuse, le fait qu'elle l'ait entendu appeler du fond de la crevasse quand ils avaient à peine sept ans signifie qu'ils sont destinés l'un à l'autre, ou, pour mieux dire, qu'il lui est destiné. En effet, depuis le jour du sauvetage jusqu'à son départ pour la Libye, neuf ans plus tard, elle l'a déclaré avec opiniâtreté comme lui appartenant. Sans jamais le dire à personne, bien entendu. Mais elle ne l'a pas quitté des yeux. Ensuite il s'est enrôlé, à seize ans seulement, en mentant sur son âge.

Ici, la légende devient une histoire de foi. Quand tout le monde dit que Stocchino ne revient pas, que c'est l'un des nombreux « morts en Libye », elle dit que non. Elle dit que meurent à la guerre ceux qui n'ont pas de liens d'affection. Mais en l'entendant, on rit et on lui donne mille exemples du contraire : le boucher, l'apprenti du forgeron, le maçon... Tous morts et tous aimés. Elle dit que ce n'est pas assez, qu'étant « aimé » de la sorte, on meurt à la guerre. Elle dit que pour ne pas mourir il faut faire comme elle fait, qui prend à sa charge toute seule ce qui devrait être partagé à deux. Pendant les sept mois où l'on n'a pas de nouvelles de Samuele, Mariangela ne quitte jamais Antioca : elle l'aide à ranger, elle porte au lavoir le chargement de linge sale. Comme s'il était absolument clair que ce qui les unit c'est un amour commun. Personne ne le dit, mais elle le sait.

Ainsi en janvier 1913 le spectre de Samuele entre dans le village. Et elle, Mariangela, avait raison. On s'attendrait à ce qu'elle prenne celui qui est sien depuis toujours, mais non, au contraire. Pendant toute la période où le soldat est alité, il n'y a pas de trace de Mariangela. Antioca, dans sa joie de mère miraculée, ne s'en rend presque pas compte, mais, sans comprendre pourquoi, elle sent comme un vide à côté d'elle.

La première tâche de Samuele ressuscité est de raconter les enfers qu'il a visités, la tête de chèvre du Levantin fourbe, l'héroïsme viril du soldat italique, et aussi, mais dans un murmure d'homme à homme, les aventures d'alcôve... Puis, une fois qu'il est rétabli et remis sur pied, arrive le moment des petits travaux. C'est un soldat décoré, mais il n'a pas encore dix-neuf ans, quand il est parti il était Samuele de ceux des Crabile et maintenant il est *le* caporal Stocchino, avec tous les parents qui sont pleins de morgue dans les rues parce qu'ils ont le héros chez eux.

Mariangela se tient à distance. Une vague intuition lui dit qu'elle sera d'autant plus récompensée qu'elle aura su attendre davantage.

Elle fait continuellement le rêve que Samuele en la voyant retourne dans l'abîme et lui demande où elle était passée : pourquoi donc, si elle savait qu'ils étaient faits l'un pour l'autre, n'est-elle pas allée le saluer quand, tel Lazare, il est revenu du Royaume des Morts raconter tout ce qu'il a vu ?

Mais Samuele ne sait pas encore qu'il a ce destin

au-dessus de lui. Maintenant qu'il a retrouvé ses forces, maintenant que le docteur Milone l'a baptisé « fruit d'un miracle », maintenant qu'il commence à faire quelques pas sans haleter, il lui semble simplement être né pour la seconde fois.

C'est vrai, il a encore les jambes incertaines du poulain mouillé d'une jument, mais le printemps presse.

On dit qu'il a hurlé face au soleil en signe de victoire.

Mariangela, en attendant, a appris à interpréter les merveilles. Elle a appris aussi le pouvoir du regard.

On dit qu'un vendredi, alors qu'il se rendait à la propriété de Larentu Sotgiu, Samuele a senti le besoin de se désaltérer.

La nuit précédente Mariangela avait vu en rêve un ange rigolard qui l'incitait à prendre de l'eau... Elle, dans le rêve, ne répondait même pas, car l'aspect de l'ange n'était pas celui de quelqu'un qu'on devait écouter. Mais l'ange, petit berger sale et édenté, insistait en disant que ce qu'elle attendait était arrivé et qu'elle devait se trouver à la fontaine sur la place sans tarder. Mariangela pense qu'il est impossible que l'on puisse discuter de ce que, en son cœur, elle désire depuis des années, et elle s'indigne de l'arrogance de ce petit garçon, mais à présent, à sa place, il n'y a plus que lumière et parfum, puis une voix : « *s'andare e su bennere* », aller et venir, aller et venir...

Quand elle se réveille toute en sueur, elle sort de chez elle sans même dire où elle va pour rejoindre Anníca Tola, qui est la seule personne qui puisse lui expliquer ce qu'elle a rêvé.

La légende dit que Samuele juste ce matin-là hurle

face au soleil, et elle dit aussi que Mariangela, en se rendant chez Anníca Tola et en se couvrant les yeux à cause de la lumière aveuglante passe à côté de lui, et, même si elle ne peut pas le voir, elle reconnaît sa voix : voix et lumière, exactement comme dans son rêve. Et tout comme elle était venue, de même elle repart en arrière car ce qui devait être compris a été très bien compris.

La première chose qu'elle a comprise c'est que le moment est arrivé. Puis elle a compris que son destin d'amour avec Samuele est un cercle, aller et venir... Elle comprend qu'elle doit se préparer à vivre l'agonie de l'amant qui doit toujours recommencer : elle serre avec détermination ses bras contre sa poitrine et elle se donne du courage, parce que ce qui l'attend n'est pas un chemin bordé de fleurs.

Samuele se rend chez Larentu Sotgiu et il a soif, aussi, au lieu d'aller tout droit, il fait un détour par la petite place de l'église où il y a la fontaine. Là, il voit, de dos, une femme en train de remplir une cruche...

Mariangela s'est faite belle, elle a mis ses anneaux d'or aux oreilles comme si elle allait à la fête du saint patron, son chemisier est d'une blancheur terrible et elle a mis son meilleur tablier. Quand la cruche est à moitié pleine, elle l'entend arriver, elle entend les pas cloutés des brodequins réglementaires. Maintenant Samuele se tient derrière elle, mais elle ne se retourne pas : elle le sent, derrière elle, comme s'il la caressait. Et pourtant il n'a rien fait, il s'est limité à attendre que la cruche soit remplie.

« On te donnait pour mort, Samuele Stocchino, dit Mariangela sans se retourner.

– Eh bien, non, je suis vivant, dit-il en ouvrant les bras.

– Tu as soif ? » demande-t-elle.

Il fait signe que oui et elle le voit même si elle ne peut pas le voir parce qu'elle ne s'est pas retournée. Aussi se lève-t-elle, elle se tourne vers lui. Il n'est pas grand, rien qu'un pouce plus grand qu'elle, et pourtant il n'a pas l'aspect de quelqu'un de petit, tout dépend des proportions...

Ils sont l'un en face de l'autre. Il la regarde puis arque les sourcils...

« Si tu dois boire, bois... dit-elle en s'écartant.

– Non, non, finis, dit-il en faisant signe vers la cruche à moitié pleine.

– Bois, bois », le coupe-t-elle, comme pour dire qu'à l'avenir aussi leur accord d'amoureux prévoit que ce qui lui est nécessaire vient toujours avant le reste.

La légende dit que, tout comme Jacob voyant Rachel au puits, il a tout de suite ressenti le désir de l'embrasser. Et elle raconte que cela arrivait parce que, à l'intérieur de lui, s'était manifestée une certitude absolue : que cette femme l'avait choisi depuis toujours, et qu'il n'y avait vraiment rien qu'il puisse faire pour l'obliger à changer d'idée. Si vous aviez vu les yeux de Mariangela dans les yeux de Samuele, vous l'auriez compris vous aussi.

Le caporal se plie un peu, comme s'il devait réagir à un coup de poignard en plein estomac, comme s'il ne fallait pas trop jouer les malins. Elle fait un pas en arrière pour qu'il soit clair que, bien qu'adoré, Samuele doit garder ses distances. C'est une géographie précise,

116

avec des limites précises, dont lui ne peut et ne doit jamais avoir aucune maîtrise. Aussi il fait mine de s'approcher et elle se déplace, puis il se penche pour boire et elle lui effleure l'épaule.

On dit qu'après cette rencontre ils ne se sont jamais plus quittés.

Troisième légende.

La troisième légende raconte la manière dont Stocchino pendant une certaine période, à Arzana, a gardé dans les profondeurs, assoupi dans ses entrailles, le fauve. Quoi qu'il fût, loup ou tigre. Mais elle raconte surtout la splendeur de ce moment, à la fontaine, où le caporal comprend qu'une baïonnette l'a transpercé. Nous sommes en août 1914. Un mois plus tôt, Gavrilo Princip a déclenché la Grande Guerre.

Mais pour Samuele Stocchino l'été 1914 est celui que les hagiographes définissent comme « la saison de la paix ». C'est l'idylle amoureuse avec tout ce qui s'ensuit. Et d'abord, un filtre qui atténue les laideurs, qui bouleverse la réalité. Et la réalité est que les choses se présentent très mal... Felice est à moitié paralysé par l'arthrite. Gonario passe d'un enclos à l'autre pour quémander une amélioration, car en tant que garçon de bergerie il ne peut même pas se permettre le luxe de fumer. Genesia a elle aussi des problèmes avec le notaire : trop de travail et un bas salaire. Au vétéran de Libye il ne reste qu'à se débrouiller comme il peut, il porte l'uniforme et les brodequins réglementaires : il a belle allure.

C'est la partie du récit où il va se passer quelque

chose. Tout le monde se tait, parce que ça n'a pas de sens que cette histoire puisse aboutir à un néant, à un « ils vécurent heureux ». Mais c'est ce que croit penser Samuele. Sa poitrine est pleine de toutes les choses possibles. Tout, tout lui semble vrai. Il ne fait que de petites sorties dans la réalité, pour le reste, depuis un an, il vit dans la chaleur du regard de Mariangela. Et, à vrai dire, lui aussi a presque de la peine à se reconnaître dans ce jeune homme joli cœur qui porte l'uniforme du 4e et parade dans le village en représentant l'audace et la témérité. Un *balente*, un vaillant en uniforme, donc encore plus vaillant, mais aussi un vaillant amoureux, donc plus fragile.

La suite de l'histoire raconte que Giacomo Manai a besoin de quelqu'un qui soigne son cheval. Samuele en uniforme lui semble représenter la reconnaissance adéquate de son statut d'homme le plus riche du village. Personne à Arzana ne dit Manai, ils disent tous « le plus riche du village », et c'est lui. Aussi, lorsque Samuele se présente chez lui et lui dit qu'il n'a pas peur de travailler, « le plus riche du village » le fait asseoir, il l'invite à boire, comme on doit faire entre êtres humains, et puis il commence avec le fait qu'il n'a besoin de personne, que les temps sont difficiles, que la guerre et cætera et cætera. Samuele fait remarquer que la guerre il la connaît bien et qu'il la connaît de très près. Alors Manai acquiesce et dit que oui, c'est justement pour cela qu'il est en train de penser à une manière de l'employer sans l'humilier, parce qu'il n'a vraiment pas besoin d'ouvriers, que ce soit bien entendu, mais éventuellement pour Samuele, et à cause du fait qu'il a combattu contre les sauvages, en somme il faut bien trouver quelque chose...

Ce que l'on trouve c'est s'occuper d'un cheval, en somme, être garçon d'écurie, ou l'ordonnance d'un officier qui n'existe pas, mais qui a un cheval. Et ce cheval est bien plus important qu'un être humain. « Le plus riche du village » ne transige pas sur cela : il veut bien tout, mais son arabo-sarde, il le veut parfait, lustré, étrillé, florissant. Samuele doit être la nourrice de son cheval, mais il ne peut jamais le monter. Il doit le faire marcher, faire circuler ce sang d'étalon dans ses fibres, il doit le nourrir comme s'il s'agissait d'un hôte important. Manai, que le garçon d'écurie mange plus ou moins, ça ne l'intéresse pas, lui, ce qui l'intéresse, c'est que le cheval mange. Et il en plaisante même, il veut le salut militaire du fantoche en uniforme qu'il a embauché pour son animal préféré. Mais le fantoche en uniforme, comme nous l'avons dit, est un fantoche amoureux.

La troisième légende raconte que Samuele est comme l'envers de Samuele. Manai qui se moquait de lui, rien que quelques mois auparavant, aurait été le mort « le plus riche du village », mais pas maintenant. L'automne avance. Mais quand un homme est en train de dévorer le premier véritable bonheur de sa vie il n'écoute plus ceux qui tournent autour de lui. Ou il les écoute alors d'une oreille bien disposée...

À cet endroit, celui qui raconte la troisième légende fait une pause et regarde ses auditeurs. Il veut faire comprendre que de cet aveuglement momentané il faut attendre une fureur incontrôlée. Il veut dire que le bonheur n'est qu'un incident dans la courte vie du tigre de l'Ogliastra.

Et il résume : il a connu l'odeur et la saveur du sang, il a eu des visions, il a élevé une bête dans son corps et puis il a aimé. Un composé instable, un mélange très délicat.

Mais on avance et on coupe court, d'après ce que l'on dit Samuele se promène avec l'uniforme réglementaire en tenant le cheval par la bride et tout va bien, c'est un bel indifférent ; après avoir étrillé et avoir donné l'avoine au cheval, il peut rejoindre Mariangela à la lisière du village, où la terre a le parfum du sureau et des feuilles brûlées. C'est ainsi, tous les jours la même histoire : à la même heure Samuele, suivi du cheval, s'en va à la campagne juste en dehors du village pour « le faire courir un peu », comme il dit. Et toujours, chaque fois qu'il passe, les vieillards sur la place touchent des doigts le bord de leur chapeau ou ôtent leur casquette pour se moquer de lui, et parmi eux, Manai. Manai surtout, qui pense que jamais ces quelques sous n'ont été mieux dépensés si le résultat est de voir ce petit plein de morgue de Stocchino en train de servir de nourrice à son animal. Et l'animal en question n'a jamais été si beau : des muscles pleins de tonus et le pelage bien luisant. Il suit son garçon d'écurie avec une allure impériale. Et là, on rit, parce qu'il y a une chose que Giacomo Manai ne comprend pas vraiment : il n'arrive pas à comprendre pourquoi l'avoine dans l'étable n'est jamais consommée. Et c'est là un grand mystère, puisque le cheval ne semble pas du tout être mal nourri, au contraire...

Le secret s'explique lorsque, une semaine plus tard, arrive la période de la récolte des pommes de terre. Bref, alors que tous reviennent avec des charrettes pleines de tubercules, chez Manai il n'est rien resté à ramasser, et cela parce que, pendant qu'il rigolait sur la place, Samuele rigolait dans son champ de patates où il conduisait le cheval manger. Cheval bien repu, pas de patates, avoine intacte, patron berné, travail perdu. Et tout le monde rit.

Quatrième légende.

La quatrième légende est étroitement liée à la troisième. Ou, plutôt, elle en est une conséquence directe. En ce qu'elle raconte une plaisanterie dont la fin fut glorieuse. Parce qu'on le sait bien : il existe des personnes qui aiment faire les blagues mais qui n'aiment pas en être victimes. Comme Giacomo Manai, justement, qui est passé pour un idiot devant tout le village. Là est l'origine, dit-on, d'une terrible inimitié.

Quatre jours après l'affaire du cheval, Gonario Stocchino est renvoyé chez lui, son patron lui dit qu'il vend et qu'il n'a plus besoin, il sait par ailleurs qu'il cherche du travail par-ci par-là, donc... Donc ? Gonario, le sang lui monte à la tête, mais il essaie de garder le contrôle parce qu'il a sept moutons à lui et si les choses finissent mal il n'a même pas un lopin de terre sur lequel les faire paître. Et il demande alors qu'on lui garde au moins ses moutons tant qu'il ne trouve pas un autre patron, d'ailleurs il ne connaît que le travail de garçon de bergerie. Mais les choses ne tournent pas bien du tout, en effet deux semaines plus tard son patron l'envoie chercher pour qu'il reprenne ses bêtes, vu que l'acheteur n'est pas d'accord pour accueillir le bétail d'un ex-employé. Et le nouveau patron, comme par hasard, est Giacomo Manai. Aussi Gonario va-t-il chercher ses bêtes, car il est en pourparlers avec un berger de Villagrande pour qu'il les lui garde en échange de quelques petits travaux de temps à autre. C'est toujours ça de pris. Lorsqu'il arrive à la bergerie où il a travaillé pendant des années, il trouve là Manai en personne. Gonario reconnaît parfaitement ses moutons, mais Manai soutient qu'il est en train de sélectionner les meilleures bêtes et il en ressort alors que c'est lui qui va décider, en tant que patron et propriétaire, quels sont les moutons de Gonario. Et il en fait donc sélectionner sept parmi les plus vieux, dont deux sont déjà stériles. Gonario dit que non, que ces bêtes ne sont pas les siennes, que lui il reconnaît les siennes.

« Même l'air que tu respires, ici, n'est pas à toi, martèle Manai. Si tu veux tu prends celles-là, sinon tu vas voir ailleurs. Pour quelques sous, et parce que je n'ai rien contre toi, je peux même te les acheter. »

Le regard de Gonario s'éteint, mais il parvient encore, miraculeusement, à garder son calme. « C'est pas à moi que vous en voulez, c'est pas à moi. » Il parle très bas.

Manai le regarde : « Ce n'est que le début », dit-il.

Gonario acquiesce d'un signe de tête. Autour du patron il y a ses sbires armés...

Pas très loin de là, ce même après-midi, Samuele attend Mariangela : il arrive et pour la première fois elle ne se trouve pas à l'endroit convenu. Ce sont là des choses qui renversent un monde. Le bonheur qui se nourrit d'infini, de pérennité, subit ces changements comme des estocades. Mariangela d'ailleurs ne va pas mieux : elle doit rester chez elle parce qu'elle est l'objet d'une proposition de mariage. La plaisanterie qui a mal tourné est en train de produire une série infinie d'atrocités. Les femmes qui apportent la proposition de mariage aux parents de Mariangela sont la tante qui est nonne et la sœur vieille fille de Battista, le fils cadet de Giacomo Manai. L'aîné, Luigi, ne franchit pas la porte.

Samuele attend pendant deux heures. Qui voudrait le décrire convenablement devrait se concentrer sur ses yeux qui sont devenus deux pointes d'épingle. Voyant que le rendez-vous a raté, il quitte leur nid d'amour et se rend chez lui à pas rapides. On dirait qu'il a un impératif absolu, un objectif clair, mais il n'en a pas. Et cela lui fait regretter et maudire le moment où il a abandonné le soldat pour embrasser l'homme.

Pas un instant il ne lui vient à l'esprit que Mariangela n'ait pas pu aller à sa rencontre, pour lui, le fait qu'elle n'y était pas, est suffisant. Ainsi, sans l'avoir prévu, il découvre qu'il avait un objectif dans sa démarche furieuse, il le comprend quand il s'arrête devant la maison de Mariangela.

Elle, de l'intérieur, sans savoir ni comment ni pourquoi, elle le sent arriver. Elle le connaît si bien et elle sait ce qui est en train de s'agiter en lui. Les gens de sa famille, de leur côté, sont tous contents de l'événement, s'apparenter avec les Manai à Arzana veut dire quelque chose. Personne n'a rien demandé à Mariangela.

Pendant quatre jours Samuele n'ouvre pas la bouche, ne sort pas de chez lui, ne voit pas plus loin que lui-même. Antioca, qui sait les choses et qui établit des relations, comprend bien que ce mutisme dépend de ce qui se dit au village, c'est-à-dire que Mariangela a été demandée en mariage par Battista Manai. Celui que tous appellent « le *drollo* », « le couillon ». Aussi se place-t-elle devant son fils et elle lui dit que les choses vont comme elles vont, que si lui et Mariangela s'étaient fiancés en cachette, ces fiançailles n'ont pas de valeur, parce que ne valent que celles faites devant Dieu avec toutes les règles. Samuele, alors, pour la première fois, lève la tête. « Si, que c'est valable », dit-il de façon imperceptible, parce qu'il a la gorge sèche à cause de son long mutisme. Et il se lève. C'est là qu'il comprend combien il est stupide d'avoir l'illusion de pouvoir changer un parcours qui a été clair depuis toujours. C'est alors que, selon la quatrième légende, finit, s'achève définitivement, « la saison de la paix », « la période heureuse ».

La batteuse tourne et estropie les épis. Ce n'est pas encore fini : Felice, ralenti par l'âge et par l'arthrite, arrive chez lui, il respire péniblement, il pose sur la table un paquet et un sachet. Dans le paquet : un quart de fromage sec, trois gâteaux de ricotta et safran, une poignée de caroubes. Dans le sachet sa « part » d'olives confites. Rien à dire, rien à ajouter, Antioca sait faire ses comptes : la préparation des olives n'est pas encore finie, Felice a pris sa misérable part, donc Felice a été renvoyé. L'oliveraie et la cueillette appartiennent à Giovanni Bardi, qui est le beau-frère de Giacomo Manai. Faut-il ajouter autre chose ?

C'est là que Samuele se met à écrire pour la première fois. Son écriture est acérée comme des dents de scie :

*Désormais vous êtes tous au courant qu'on m'a pour-
suivi moi et les autres de chez moi... Et moi j'ai commencé et je poursuivrai à être le bourreau contre ces
lâches. Dès maintenant tous qui nous feront le mal,
seront de moi payé le même.*

Je signe et suis toujours Stocchino Samuele.

Accroché au portail de l'église d'Arzana ce bout de
lettre écrite sur une feuille de papier d'emballage pro-
voque chez les habitants du village l'effet déconcertant
de la proclamation de Luther.

Le père Marci fait appeler Manai. Ce qu'ils se disent,
la légende ne le rapporte pas, mais le fait est que deux
jours plus tard Giovanni Bardi fait appeler Gonario
pour lui dire que, s'il le veut, il peut remplacer Felice
pour la cueillette des olives. Et Gonario accepte.

Puis le père Marci fait appeler Samuele. Et ce qu'il
lui dit, c'est que les menaces sont vraiment une mauvaise chose, qu'elles font mal à celui qui les reçoit,
certes, mais surtout à celui qui les fait.

Samuele hausse les épaules : « Qui les a reçues le sait
et doit faire attention », dit-il dans un sifflement.

Le père Marci fait le geste de le gifler : « Tu veux faire
le grand et t'es qu'un gamin, dit-il. Moi, j'te traîne jusqu'à
c'que tu crèves, hein, que ce sont des gens qui te bouffent
toi et toute ta famille, prends garde à c'que tu dis, que
cette fois-ci ça va, mais la prochaine fois c'est moi qui
viens et la lettre c'est moi qui te la fais avaler... Hein ? »

On dit que Samuele est resté tête basse comme si
vraiment il était redevenu un enfant.

« Je te l'dis, Manai est resté tranquille parce qu'il me respecte, sinon y aurait de quoi te rosser pour c'que t'as fait. »

Samuele, de nouveau, ne répond pas.

Cinquième légende.

La cinquième légende est écrite avec le sang. Quand tout semble résolu, quand ce qu'il y avait à dire a été dit, quand le point de rupture a été défini, quand le territoire a été délimité. À Arzana il y a un silence terrible autour de l'inimitié entre Manai et Stocchino. Et lorsqu'on parle d'une affaire, cela veut dire qu'il y a encore quelque chose à dire, mais quand on cesse d'en parler cela veut dire que les choses ont mal tourné.

Et la cinquième légende, en effet, n'est qu'un vent coulis de murmures. Rien n'est clair, mais tout a sa raison d'être. Et la raison s'appelle cette fois-ci Mariangela. Promise à ce couillon de Battista Manai, elle est obligée de se cacher. Samuele, cette affaire le rend fou, elle l'implore de laisser tomber car ce type-là elle ne l'épousera pas même morte.

Samuele ne répond pas.

Quoi qu'il en soit, Battista Manai, on le trouve mort quelques jours plus tard. La cinquième légende est un retour à la première légende, quand on imagine que Samuele a déchiré la poitrine de l'homme qui a poursuivi sa femme de ses assiduités, pour lui manger le cœur.

Mais personne n'a eu le temps de faire des accusations officielles. Le Printemps interventionniste a rappelé à la chasse la meute des chiens sardes et, parmi eux, le caporal Stocchino.

Sur le Karst, à présent.

V.
(Où l'on raconte la nuit avant le départ pour la guerre)

Mariangela posa sa main très blanche sur le couvre-lit. En silence, pour ne pas le réveiller. La pâleur de ses doigts fuselés était éclatante. Elle parcourut de sa paume le dos de Samuele, jusqu'aux épaules, d'une légère pression de la main. Sa peau était très chaude sous la toile grossière de la chemise. Avec une plainte d'enfant ensommeillé, Samuele remua la tête au contact froid de ce toucher sur son épiderme. Elle caressait maintenant sa nuque fraîchement rasée, puis le cou nu, et elle approchait ses lèvres pour y poser son souffle. Son corsage était délacé, à Mariangela. D'un mouvement du buste, Samuele se mit sur le dos, sans ouvrir les yeux. Il libéra ses bras des couvertures et saisit de ses mains les seins de la femme. Il tâtonnait et sa respiration commençait à se hacher. Entrouvrant les lèvres, il demanda ces seins, percevant dans l'air leur parfum. C'est alors seulement qu'apparut le visage de la femme : sa peau était marquée de plaies, les orbites de ses yeux n'étaient plus que deux flaques graisseuses. Les lèvres arrachées du visage à coups de couteau. Sur son dos, une immense parure de coraux. Il s'assit d'un bond sur le lit en gardant les paupières bien serrées. Mariangela articulait des mots muets de sa gorge déchirée. Avec un grand tumulte dans sa poitrine et la gorge sèche, Samuele allongea le bras à côté de lui. Il sentit une respiration régulière de femme. Il plongea les mains dans ses cheveux noirs, avec soulagement. « Un mauvais rêve, mon ange », murmura-t-elle sans se retourner, sentant qu'il la touchait.

Il devait bien s'agir de cela. En regardant autour de lui il vit que la chambre était vide.

« Reviens dormir près de moi, j'ai froid », implora-t-elle.

Samuele sourit de lui-même et de sa peur. « Tout vrai, lui dit-il, tout avait l'air vrai. »

Il se serra contre le corps de Mariangela. Et il sentit de quel froid elle était envahie. Il frissonna à ce contact, et pourtant il ne réussit pas à s'en libérer. Il recula vers le côté vide du lit en sentant que les membres de la femme étaient devenus les dures ramifications d'une plante pétrifiée. Il ouvrit la bouche pour crier, mais ne parvint pas à le faire. Entre-temps, Mariangela s'était retournée, elle avait réussi à se retourner sans abandonner sa prise sur lui, et elle avait un nombre infini de bras et de mains qui lui parcouraient le corps.

Il sauta du lit en criant. Il était trempé de sueur et de peur.

Il ne perçut aucun mouvement dans le fouillis des couvertures et il fut alors certain, constatant sa solitude à la lumière pleine et dense de la lune, d'être réveillé.

Antioca le retrouva renversé par terre en proie à des frissons. Les cris l'avaient réveillée.

«Pour l'amour de Dieu, qu'est-ce qui est arrivé!» s'exclama-t-elle en éclairant la pièce avec la lumière tremblante d'une bougie.

Samuele tressaillit en la voyant apparaître. Avec un sursaut il se replia en ceignant ses genoux de ses bras serrés. La mère s'approcha et plaça la bougie sur une chaise. «C'était un mauvais rêve, dit-elle, maintenant tout est passé.» Elle tendit la main vers la tête de Samuele, elle le caressa comme elle ne l'avait plus jamais fait depuis qu'il était petit. «*Un'amimutadura*, un cauchemar, mon cœur», continua-t-elle dans un murmure.

Samuele s'abandonna à ses soins. Il se laissa conduire sur le lit, il sentit ses mains habiles arranger les couvertures sur son corps qui commençait à se détendre. Il y avait eu un temps, et les souvenirs se faisaient soudainement nets, où il pouvait reconnaître les pas de sa mère derrière la porte de sa chambre. Et l'imaginer quand elle posait l'oreille contre la porte pour s'assurer que tout allait pour le mieux. Il y avait eu un temps où elle avait un parfum de lait et sa peau la souplesse d'huiles balsamiques. Et puis quand on lui disait qu'il mourrait, au milieu du bois, dévoré par les animaux nocturnes, il pouvait entendre le claquement de ses dents. Mais il se souvenait très bien du jour où il avait été restitué aux vivants, après avoir été arraché à la chair du rocher, avec la peau sur ses os et rien que le minimum de forces nécessaires pour ingurgiter de l'eau et du miel. Une résurrection indiquée par tous comme une faveur de la Vierge au fils d'Antioca Leporeddu, qui l'avait priée pour lui. Il s'agissait d'une restitution, et cela ne faisait pas de doutes, une ligne plus appuyée dans le dessein divin pour effacer le mot « fin ».

Antioca resta quelques minutes à regarder les traits du visage de son fils qui recommençaient à se détendre. Puis elle recula calmement pour récupérer la bougie.

« Tout semblait vrai », dit tout à coup Samuele, en rompant le silence.

Antioca s'approcha de nouveau. « Les mauvais rêves semblent toujours vrais », confirma-t-elle d'un filet de voix. Puis elle regarda l'uniforme de son fils, propre et repassé sur la chaise. « Prends quelques heures de sommeil, demain c'est une longue journée. »

Longue, oui, de Terranova à Naples, pour le triage. Et pour rejoindre les frères inconnus. Les irrédentistes.

Troisième partie
Terrifiés, salis par la terre, fous de peur... terrible!

«Un ordre est un ordre, les cadres n'ont pas besoin de nous convaincre.»

M. FRISCH, *Livret de service.*

Voix off

Il y a eu un temps, pas si lointain d'ailleurs, où cette même lune, lancée dans la nuit comme au centre d'une scène de théâtre, avait exhibé un regard virginal. Et il y a eu un temps où elle s'était à tel point rapprochée de la terre qu'elle semblait une unique lumière et que la regarder donnait des vertiges et une sensation étrange d'angoisse et de langueur, de peur et de jouissance. Un plaisir très semblable à une douleur.

Un dieu avant Dieu avait dansé, plongé dans cette pâleur, quand on croyait que le battement de ses pieds réveillerait la matière inerte, dans la nuit des nuits, quand tout était à faire. Quand on pensait encore qu'une danse suffirait à réveiller le corps comateux de la terre. Quand on pensait que danser suffirait à lui offrir des gemmes merveilleuses pour l'orner et des corps mouvants pour l'habiter. Quand on priait la foudre et la secousse et l'haleine maléfique. Et que chaque geste devait être parfait, comme un miroir du cosmos. Et que chaque mot devait avoir un son et un ton pour ne pas offenser la bête méfiante. Et que chaque pas de danse devait être une image de ce dieu qui dansait. En sorte que le bêlement du bélier et le mugissement du taureau, et le crépitement de la flamme et le cours de l'eau pussent chanter une harmonie qui était, oui, musique, mais, également, une carte des astres : un récit du firmament, une imitation du ciel sur la terre.

C'est pourquoi, pendant une nuit pareille à celle-ci, les premiers d'entre nous se placèrent en cercle en tournoyant pour mimer le cours tourbillonnant du temps et des planètes. Les premiers d'entre nous s'embrassèrent pour accorder un rythme et établir les rôles : toi, le bélier, toi, le taureau, toi, le feu, toi, l'eau.

Il y avait de quoi se sentir divins, il y avait de quoi se sentir tellement proches du sens premier des choses qu'on pouvait penser ne pas encore être nés. Il y avait de quoi se sentir immortels.

Pendant une nuit pareille à celle du massacre, toutes les prières avaient obtenu une réponse. La matière s'était éveillée et, tel un chien mouillé qui se secoue, elle avait lancé dans le ciel un nombre extraordinaire de tisons ardents.

Les premiers d'entre nous avaient nagé pour rejoindre la surface, ils s'étaient traînés au sec, par-delà les paluds, et avaient obtenu d'être entendus. Aussi ils s'étaient dressés, encore titubant comme des poulains. Ils avaient levé leurs bras pour imiter les branches des arbres et hurlé pour mettre à l'épreuve leurs poumons.

La conscience était arrivée comme une gifle en plein visage.

Parce qu'il est difficile de donner un sens à tant de

souffrance millénaire. Et les mots manquent souvent, mais il reste au-dedans une mémoire qui est vide.

Ce fut ainsi que cela se passa.

C'est ainsi, du moins, qu'on le raconte. Et on dit que l'orgueil poussa les premiers d'entre nous à se multiplier, amoureux de leur image, et les poussa à mourir parce que cela signifiait revenir au point exact d'où tout avait commencé, dans la gloire de l'argile, dans le simulacre inviolable de la Mère. Dans le centre des centres.

Éblouis par la lumière silencieuse, ils quittèrent cette terre comme s'ils dansaient. Mais pour recommencer, car la lune était obstinée, et le soleil aussi, tout comme était obstiné l'espoir de perpétuer ce hurlement et cette conscience.

On dit que cela se passa la nuit, une nuit comme celle du massacre, quand l'orgueil, dans le bourdon du temps, s'était réduit à une petite flamme très pâle, agonisante. Parce que la planète de l'amour-propre était devenue satellite. Elle était devenue un éclat tourbillonnant aux confins du monde. Parce que le fil de la mémoire s'était embrouillé en effaçant tout parcours possible dans le labyrinthe de soi-même.

Nus, les derniers d'entre nous erraient sur une terre dortoir en protégeant leur visage de l'éblouissement, car, la nuit du massacre, c'était la pleine lune et une étrange, angoissante euphorie...

Pareille à une douleur.

I.
(Livret de service)

On mange la terre, ici, et l'on est mangé par les rats.
À moins que nous ne commencions par les manger.
Jamais vus de si gros rats, ils attaquent les chiens et ils
attaquent les êtres humains. Il y a de quoi les comprendre : dans la guerre de positions le territoire des
rats d'égout a été occupé avant le territoire des austroboches. Et soyez certains que, cuits juste à point, ils ne
sont vraiment pas mal, les rats et, encore mieux, les
boches. Sur la Podgora les rats sont un mets de choix,
là le ravitaillement n'est pas arrivé pendant seize jours
en attendant le rétablissement de la route nationale
coupée. Mais il y a aussi les chanceux qui ont sur leur
lit de camp un filet de protection. Eh, les rats font plus
peur que les obus : ils sont silencieux et ils vous mangent le nez et les oreilles pendant que vous dormez. Le
lieutenant médecin dit qu'ils ont un sérum qui empêche
de sentir leurs petites dents aiguës quand elles se plan-
tent dans la chair. On comprend beaucoup de choses
pendant qu'on attend sans armes enterré dans la tranchée. On a comme un avant-goût de mort et d'enterrement. Une saveur de terre. On comprend par exemple

combien il est important d'avoir une écriture. Eh oui, on se dit qu'à la guerre sont nécessaires le courage et des armes adéquates, mais ces choses ne suffisent pas. Dans cette guerre l'écriture est nécessaire autant qu'un bon équipement. Nous pouvons voir tous les jours comment ceux qui reçoivent des nouvelles changent d'humeur, mais recevoir des nouvelles signifie aussi savoir en écrire. C'est ça. Oui. Ceux à qui personne n'écrit, il leur semble être déjà morts avant qu'ils soient flanqués en dehors des tranchées. Morts dans le souvenir, qui ne peut pas être raconté, et morts de peur et de froid et de dégoût. Les premiers jours il semble vraiment impossible de survivre, puis, à force de grappa, on comprend ce qui est fondamental : il ne faut pas de volonté. Même pas celle de survivre.

Samuele a parfaitement appris cette chose aussi bien en tant que soldat de retour de Libye qu'en tant que civil dans son village : la volonté n'existe pas, survivre n'est qu'un problème de résistance. Et lui, il a résisté à des forces qui auraient détruit n'importe qui. Sur le navire, pendant la traversée vers Tripoli, par exemple, il était plus mort que vif, et auparavant encore, dans l'abîme... Cette résistance acharnée était l'arme qui le rendait immortel, comme une cuirasse invisible autour de lui.

Ici aussi la question était de garder les positions, les Autrichiens sur la crête, les Italiens dans la vallée. Mais tous, sans distinction, en train d'occuper en armes le territoire des rats. Le capitaine Trestini, de Livourne, disait qu'il y avait au moins sept bêtes par soldat. Et même qu'il eût mieux valu tout résoudre avec une bataille entre rats italiens et rats autrichiens. Et que de toute manière la guerre c'est la guerre, il n'y a rien à faire, ce n'est pas une partie de plaisir.

Les désagréments de la vie militaire semblent à Samuele presque une vie normale. Ça avait été la même chose en Afrique aussi, la seule différence c'est le froid au lieu de la chaleur. Et le fait aussi que, de toute façon, sur les fronts opposés on se signait avant de partir à l'assaut.

Ici, dans notre détachement, nous sommes des Sardes pour la plupart, pire qu'en Libye, pire qu'à Babel, car il y a des gars d'Ozieri qui « toscanisent », comme le dit le lieutenant-colonel Barzini, et des gars d'Orune qui « francisent » : les uns ont le *c* aspiré, les autres le *r* à la française. Au milieu de la terre on parle de tout. Ceux de la province de Nuoro, d'Oliena, Mamoiada, Orgosolo, se tiennent davantage entre eux. Peu de gens d'Arzana, mais trois de Jerzu et dix d'Ulassai. Un encore de Tortolí, mais on finit par savoir qu'il n'a fait qu'y naître parce qu'il a vécu toute sa vie à Sassari, grande ville de grands seigneurs.

Ici, dans la tranchée, on découvre qu'en Sardaigne il y a des endroits dont on n'a jamais entendu parler. On croit connaître les choses, mais on ne les connaît vraiment pas. Un gars très maigrelet dit qu'il vient de Luna Matrona et tout le monde rit, il est impossible qu'il existe en Sardaigne un village qui s'appelle ainsi, et il insiste et dit que cet endroit n'est pas trop loin de Barumini et tous font signe que oui, que, alors, on s'est compris, que Barumini, les ancêtres des nuraghes et tout le reste, mais Luna... Luna, quoi ? Et ils rient.

Heureusement on rit de temps en temps, heureusement, même s'il n'y a pas beaucoup de quoi rire ici. À peine sommes-nous entrés à Monfalcone qu'on nous a dit que c'est une question de semaines, un mois tout au plus et nous sommes à Trieste, et deux ans ont passé...

Que Felice est mort, Samuele l'apprend par une lettre du père Marci. C'est la première des deux lettres qu'il recevra au cours de toute la guerre. Felice et François-Joseph meurent ensemble. Le don du silence paraît à Samuele un hommage suffisant à un père silencieux.

La nouvelle, il la garde pour lui, le père Marci n'a rien expliqué ni raconté, il a simplement envoyé une communication, et cela concorde avec le fait qu'il a décidé d'être ce qu'il est. Il communique la mort comme s'il disait bonjour, parce qu'il a signé un contrat où l'on dit que la mort n'est pas un fait grave, mais une certitude. Que peut-on donc répondre à une communication de ce genre ? Rien.

Samuele avale une gorgée de grappa, et là-dessus ils ont des ordres précis, de ne pas lésiner parce que ça réchauffe.

Les tranchées des deux fronts sont très proches, à une centaine de mètres vers les montagnes on voit les têtes des Autrichiens et s'il y a quelqu'un à qui le cul démange, il se met aussi à faire du tir à la cible. D'un côté comme de l'autre. Il y a Poddighe d'Orani, par exemple, qui passe son temps de cette façon. Il vise et hop, chaque fois qu'un casque autrichien saute en l'air il fait un pas de danse et une entaille sur son fusil. Jusqu'au moment où arrive quelqu'un qui lui fait passer l'envie. « Mais arrête donc ! » le réprimande Puddu d'Oliena. Lui et Samuele se connaissent depuis l'époque de la Libye. Et ils se sont retrouvés sur le Karst.

Pour tout dire, quand Puddu a vu Samuele il a presque eu une attaque, tellement il avait l'impression de voir un fantôme. « Stocchino ! lui échappe-t-il de la bouche. *Galu bibu sese* ? T'es encore là ? » Samuele se serre les couilles puis lui fait un doigt d'honneur. « *Appas in s'ocru !* Qu'on t'arrache les yeux ! lui répond-il, puis ils s'embrassent.

– J'avais plus rien su de toi, après qu'ils t'ont hospitalisé à Tripoli, et si tu n'es pas mort c'est que t'es vraiment *pedde mala*, une sale peau. »

Samuele sourit, en serrant dans sa main la lettre du père Marci. « Tant que ton heure n'est pas venue... » dit-il avec une sorte d'air de sagesse qui va d'ailleurs bien avec son visage. Celui-ci s'est creusé mais il ne s'est pas fripé. Samuele est de ceux qui dans une situation pénible gardent un aspect acceptable. La barbiche lui salit les mâchoires et pour être franc on ne peut même pas la nommer une barbiche : elle est comme les ombres faites par un portraitiste de rue.

Toujours, je me suis toujours demandé comment les choses arrivent : ce froid, par exemple, comment suis-je arrivé ici dans cette tombe sans être encore mort, ils disent que ça a été un coup d'obus. Moi, je sais seulement que j'ai senti comme une main qui m'a soulevé de terre. Un instant plus tôt j'étais en train de parler avec Puddu et l'instant d'après j'étais ici sous terre, exactement comme mon père. Je me rends compte que je suis vivant parce que je peux soulever le bras et parce que je sens quelqu'un qui rampe.

Toute cette terre est devenue un sépulcre. Une fois sorti du gouffre dans lequel il est tombé, Samuele peut raconter une histoire qu'il connaît trop bien : celle du mortel refusé par la mort. Pour d'autres, ça ne s'est pas passé de la même façon. Curreli de Gavoi, et Petrella de Guspini, et Mereu d'Aggius... Aucun d'eux n'a répondu à l'appel.

« Puddu, *bi sese*, t'es là ? » commence-t-il à crier, en secouant la terre qui le recouvre. La lumière rasante des phares nocturnes, qui sont une aide mais aussi une cible, fait ressembler le sol à de la boue qui bouillonne.

Samuele se met à genoux, on ne voit de son visage que le blanc des yeux, et, s'il souriait, la blancheur de ses crocs aussi. Mais il ne sourit pas, il avance à quatre pattes vers ce qui reste de la tranchée italienne.

« Puddu, t'es là ? » appelle-t-il.

Et Puddu répond, puis il tousse. Ils étaient l'un en face de l'autre en train de conjurer le mauvais sort et ils ont été balayés au moins à trente mètres l'un de l'autre.

« Eh là, tout va bien... » répond Puddu.

Ces Sardes, après chaque explosion, après chaque action, lorsque le silence suit, ils font ainsi, quelqu'un se met à genoux, pour ne pas s'offrir comme cible aux tireurs d'en face, et commence à faire l'appel. Il arrive parfois, dans l'incertitude de la guerre qui mélange les cartes, qui brouille le jeu, qu'à l'appel d'un berger de Gallura réponde un berger de Carinthie. Parce que ces appels ne respectent aucune nationalité et ne répondent à aucun état-major.

De toute manière, parler sarde est pour un grand nombre de soldats la seule possibilité de communiquer. Communiquer sans que les autres puissent comprendre, mais non par volonté de groupe, non pas seulement pour cela : c'est, surtout, par manque d'alternative. Pour les officiers continentaux ce parler incompréhensible ressemble au silence mais ce n'est pas du silence, c'est un brouhaha constant, c'est un parler à fleur de lèvres qui se trouve en dessous, dans les nœuds vitaux des postes d'attaque, qui fait chorus avec le bredouillement de la mitraille... Aussi, quand ils daignent visiter la première ligne, messieurs les généraux posent toujours la même question :

« Mais comment se fait-il que ces Sardes ne parlent jamais ?

– Ils parlent, ils parlent, mon Général... Mais ils parlent entre eux. »

Le général lance un coup d'œil aux chiens sardes qui ont la taille qu'il faut, petits et solides, parfaits pour s'exposer au danger du feu ennemi, il leur suffit d'avancer courbés en avant comme s'ils affrontaient la bora et ils ont de grandes chances que la ligne de feu les effleure sans les frapper. Et puis, ils ne sont jamais découragés, ne parlent jamais, ou, plutôt, ils parlent entre eux, ce qui signifie, justement, se taire.

Entre le début de mai et la fin de juin 1916 la meule broie. Elle est inexorable : nous regardons tous vers Gorizia, les Autrichiens nous arrivent par-derrière, du Trentin. Gorizia tombe en août, mais à l'arrière le massacre est continu, continu. Qui recule est perdu, est perdu aussi qui avance. Au mess de la Nation, Cadorna tape du poing sur la table. Les soldats tuent les soldats et non seulement leurs ennemis.

Samuele comprend tout cela, il est pour les règles, lui. Lui, il est de ceux qui au village ont dû se faire respecter. Puis la lettre est arrivée :

« Felice mort, en paix avec Dieu Tout-Puissant, qu'il soit avec les justes, amen. »

Depuis les tranchées ennemies on entend les pleurs pour la mort de François-Joseph, et à Samuele ces pleurs semblent être le juste tribut versé à la vie tourmentée de Felice.

Ensuite voilà Puddu d'Oliena, puis l'explosion.
Et on recommence depuis le début.

II.
(Où l'on raconte une rencontre inattendue)

Que Gorizia soit prise, c'est une façon de parler, elle est déserte et infestée de francs-tireurs, on marche en rasant les murs et il vaut mieux éviter d'être à cheval. Le mot d'ordre est donc d'assainir. C'est-à-dire de patrouiller pied à pied sur le terrain et tirer à vue contre tout ce qui bouge. À force de rester à couvert dans les tranchées, tout cet espace citadin ouvert donne une certaine angoisse, trop de lumière, tout est trop humain. C'est une armée de taupes qui rôdent dans le squelette d'une ville. On est mieux à demi enterrés, en train de voler la nourriture aux rats.

Sur le front opposé, celui qu'on appelle « des plateaux », les fantassins doivent tenir en respect l'avancée des austroboches dans le Trentin pour les empêcher de se déverser en Vénétie. Samuele a la tâche de surveiller un soldat qui a été condamné à être fusillé. C'est un gars de vingt ans d'Ulassai, on l'a trouvé évanoui dans une grange au cours d'une patrouille de reconnaissance : le sergent, qui est de Latina, dit qu'il s'agit d'un déserteur. Samuele pense que ce n'est qu'un enfant qui ne sait pas où aller, mais les ordres sont qu'il faut le surveiller jusqu'à ce qu'il reprenne « son entendement », sa connaissance. Depuis que Cadorna a tapé du poing sur la table n'importe quel type de vingt ans qui est ivre devient un déserteur. Aussi le sergent de Latina laisse Samuele avec le soldat et il se rend au Commandement pour lancer la demande d'un peloton d'exécution. Lui, il ne veut pas être mêlé à cette histoire et dans le doute il entame les démarches. Samuele a l'impression que cette armée est devenue un gamin épouvanté aux mains d'un père incapable de l'éduquer.

Quoi qu'il en soit, le petit soldat se réveille cinq minutes après que les autres sont partis, il sursaute et s'assoit en demandant ce qui s'est passé. « Eh... dit Samuele en ouvrant les bras. *Non l'ischis itt'as fattu ?* Tu sais pas c'que t'as fait ? »

Le petit soldat regarde autour de lui, vraiment perdu, rien qui ait pu l'avoir mis dans le pétrin ne lui vient à l'esprit, certes il a levé un peu le coude, mais c'est le Premier de l'An, n'est-ce pas ?

« Eh... convient Samuele. Le 1er janvier 1917.

– Tous mes vœux, dit l'autre.

– Tous mes vœux, répond Samuele, mais quels vœux ? T'as pas compris qu'on veut te fusiller ? »

Le visage de l'enfant devient alors d'une pâleur de plâtre. « *Comente este ?* Comment ça ? » demande-t-il.

Il s'est isolé avec une femme, une gentille femme, ils ont bu un peu, fêté... Il a manqué l'appel et les ordres sont les ordres.

Le désespoir et les pleurs arrivent au moment même où le soldat d'Ulassai comprend sans l'ombre d'un doute qu'il est un homme mort, et que là où ils l'ont amené le temps n'existe pas, il n'y a pas d'année et encore moins de Premier de l'An, et quant aux vœux...

À ces pleurs, qui sont de vrais pleurs, un vrai braille-ment, des pleurs hystériques, furieux, Samuele ne sait pas répondre, sans doute parce que ça n'a besoin d'aucune réponse, et alors il se penche jusqu'à ce que le bout de son nez soit collé au bout du nez du soldat. « Donne-moi un coup », lui murmure-t-il, comme s'il craignait que quelqu'un puisse les entendre. L'autre le regarde surpris : « D'où c'que t'es ? lui demande-t-il.

– Arzana, répond Samuele.

– Ulassai, dit l'autre. Rubanu, ajoute-t-il.

– Stocchino », répond Samuele.

Ensuite, il n'y a plus de temps à perdre. Rubanu se met debout, Samuele reste à genoux.

Quand Samuele se réveille, il comprend qu'on l'a amené à l'infirmerie. Le sergent de Latina est en train de brailler qu'il s'est laissé couillonner par une recrue. Samuele pense que c'est une bonne chose parce qu'au moins il ne soupçonne pas qu'il y ait eu fraude. De toute façon, quant aux actions disciplinaires à son égard, c'est le capitaine Lussu qui doit s'en occuper.

Le capitaine Lussu, grand et sec, est d'une taille jamais vue. Il a un regard effrayant. Samuele, debout, la tête bandée, fait le salut et se présente. Le capitaine l'invite à s'asseoir. Il le dévisage longuement.

« Stocchino Samuele... Arzanois, dit-il. Ogliastrin. Un bel endroit l'Ogliastra... Un lieu de chasse. Et avec des gens malins », ajoute le capitaine Lussu. Et il regarde Samuele avec ses yeux de braise. Samuele ne répond pas à ce regard, mais il le sent sur lui comme s'il était liquide. « Alors, explique-moi bien ce qui s'est passé… »

Samuele hausse les épaules. Il a un soupir. « Que voulez-vous que je vous dise, mon capitaine… Il m'a eu en traître.

– En traître, répète le capitaine Lussu et il sourit avec un petit sourire. En traître comment ? continue-t-il – on dirait qu'il s'amuse.

– Eh… Par-derrière.

– Oui, le harcèle le capitaine. Par-derrière comment ? Fais-moi voir… » Samuele commence à se sentir mal à l'aise. « Allez », insiste le capitaine, l'invitant à se lever.

Samuele se lève. Debout l'un face à l'autre, le capitaine et le caporal font l'effet d'un cyprès qui fait de l'ombre à un genévrier.

« Il m'a pris par là, dit Stocchino en indiquant sa nuque, moi, je croyais qu'il était encore évanoui…

– Et au contraire, Rubanu d'Ulassai n'était pas évanoui…

– Non.

– Et moi, qu'est-ce que je dois faire, est-ce que je dois dire au général qu'Ulassai et Arzana sont très près l'un de l'autre ? Pour ce qu'il en sait, lui, ils sont très éloignés. »

Stocchino hausse encore les épaules. « Ce n'est peut-être pas nécessaire de le lui dire, est-ce que ça l'intéresse, lui ? Monsieur le Général… avec mon respect.

– Eh, est-ce que ça l'intéresse… Toi, tu es celui qui crie dans la tranchée, celui qui appelle les morts ?

– Je cherche les vivants, les morts, après, il y a pas grand-chose à chercher…

– Allez, ôte-toi de ma vue. Et la prochaine fois essaie de ne pas être distrait. Va, va… »

Le capitaine le renvoie. Samuele s'en va avec la coulée de ce regard sur lui.

« Mais comment se fait-il que ces Sardes ne parlent jamais ?

– Ils parlent, ils parlent, mon Général… Mais ils parlent entre eux.

– Mais on ne comprend pas un mot…

– Rien, mon Général, mais ce sont de braves gars, vraiment de braves gars. Et d'ailleurs, il n'y a pas que des Sardes, il y a aussi les volontaires…

– Ah, je ne vous le fais pas dire, ceux-là, que des intellectuels… Qu'ils soient sardes ou intellectuels, quoi qu'on en pense, ils parlent de façon incompréhensible…

– Certes, et pensez donc, mon Général, qu'il y a même des Sardes intellectuels… »

Trois jours ont passé depuis la première rencontre entre Samuele Stocchino et le capitaine Lussu, quand ce dernier le fait appeler. De nouveau le cyprès trône au milieu du bureau des urgences. « Stocchino, viens, approche. Tu dois me rendre un service… »

Samuele attend qu'il poursuive.

« Je t'envoie à Priaforà où nous avons un problème avec quelqu'un qui vient de ta région… »

Samuele pense qu'ils ont attrapé Rubanu d'Ulassai et

pense que lui aussi est foutu. « Il y a une voiture qui t'attend, quand tu arriveras tu comprendras… »

Le « tu comprendras » est plus qu'un congé, cela veut dire « bouge-toi et essaie de ne pas me faire perdre la face », aussi Samuele salue et rejoint la voiture.

Il y a à peu près une vingtaine de kilomètres jusqu'au mont Priaforà. On voyage dans un monde d'acier. On voyage sous un ciel qui ressemble à un drap tendu pour sécher. Il y a des aulnes, de ce côté-là, et des étendues de bruyère. Et des bois où se mélangent les hêtres et les sapins blancs…

On raconte que pendant que la voiture avance en grimpant, vers les huit cents mètres, Samuele se penche à la portière pour regarder un troupeau de moutons qui paissent. Ce sont des moutons bien gras et avec une toison bouclée et blanche, rien à voir avec les moutons de chez lui, maigres et jaunâtres, mais le cœur de Samuele se serre. Et il y a, dans ce serrement, une sorte d'euphorie semblable à une douleur. Tout laisse à penser que dans ce fragment de monde la guerre n'est jamais passée.

Mais cela dure peu de temps : à peine a-t-il dépassé un tournant, voilà l'explosion, un mouton a fait sauter une mine. Le chauffeur perd presque le contrôle de la voiture, prise dans le déplacement d'air. Mais ce n'est pas le pire, car en un instant l'automobile est frappée par des morceaux de cadavres d'animaux. Un agneau tombe d'en haut sur le capot.

Samuele écarquille les yeux : Seigneur Dieu, le passé qui revient. Le chauffeur a eu le temps de braquer et de mettre la voiture à l'abri. Les lambeaux du troupeau sont accrochés aux arbres et enkystés au milieu des rochers. Qu'il m'arrive malheur! est en train de dire le chauffeur, qu'il m'arrive malheur! Le cœur de Samuele bat tellement qu'il a peur de ne pas pouvoir respirer. Une tête de mouton les regarde depuis le fossé. Certes, il a déjà vu des explosions, et il a vu aussi des corps solides s'évanouir en vol, mais il n'a jamais assisté à la confirmation d'un signe. Jamais il n'a pensé que dans le cours furieux des événements il pût y avoir du temps pour une répétition, pour un *mémento*. C'est cela qui l'épouvante.

En tout cas, après avoir constaté qu'il n'y a pas de dommages sérieux au véhicule, on avance, on reprend la montée. Le paysage filtré par les vitres est à présent rouge, ce qui est une couleur adaptée, pense Samuele. Il a recommencé à respirer régulièrement, mais il lui est resté une inquiétude terrible, une oppression entre l'estomac et les côtes.

Vers le sommet on commence à voir les postes d'artillerie lourde qui dominent la vallée. Tout est devenu d'une nudité presque indécente.

On arrive là où on doit arriver.

C'est un terrassement. Il y a des fantassins en chemise qui extraient de l'orifice d'un tunnel des seaux de terre. Ils creusaient, racontent-ils, mais à présent on n'avance plus. Un sergent rejoint Stocchino.

«Il est là-dedans», dit-il, pensant qu'il a tout dit. Samuele le regarde en contredisant cette certitude. «Le nouveau, le Sarde, clarifie l'autre. Nous étions en train d'avancer en creusant le forage... Puis soudain il a commencé à s'agiter et il a porté l'arme à sa bouche. »

Samuele, il lui vient à l'esprit la tête du capitaine Lussu et son « essaie de ne pas me faire perdre la face » qu'il n'a pas dit, mais très clair. Aussi, sans plus rien écouter, il se met à crier.

« Ohh... »

Rien, aucune réponse.

« *Ohh, bi sese ? Chie sese ?* Ohh, t'es là, qui es-tu ? » continue-t-il sans se soucier des autres soldats qui le regardent. Entre-temps il est parvenu à l'entrée de la galerie. « Ohhh ! » reprend-il comme s'il appelait un troupeau. Et la prémonition de tout à l'heure lui semble maintenant claire : dans son Apocalypse personnelle les moutons et les agneaux tombent du ciel. Et dans son livre personnel du destin cette chute est toujours le commencement de quelque chose de terrible. Mais il n'a pas le temps d'y penser, pour l'instant, toutes ces considérations se déposent dans son corps, c'est tout.

« Ehhh », entend-on en effet du fond du tunnel, puis un faisceau de lumière.

Samuele le suit comme s'il s'agissait d'une invitation... Il fait quelques pas en se protégeant le visage avec la main. « Baisse-moi c'te lampe », dit-il en avançant jusqu'à entendre clairement la lourde respiration du soldat.

Et le soldat, comme s'il était programmé à l'obéissance naturelle, baisse la lampe. Maintenant dans le boyau se diffuse une lumière orangée qui vient du sol.

Le soldat est recroquevillé au fond de la galerie le dos collé à la paroi, un fusil penché entre ses genoux, le canon dans sa bouche, le doigt sur la détente. Et tout cela semble presque normal, la conséquence d'une dégradation féroce comme peut l'être celle de la guerre, qui arrache d'un endroit pour «en libérer» un autre que l'on ne connaît même pas. Qui ne demande pas d'acte de conscience. Et de fait, le soldat qui pointe le fusil dans sa bouche ne sait rien de rien. Il ne parvient vraiment pas à donner une raison valable à sa présence dans le boyau de la montagne.

Et tout cela, ça va… Ce qui ne va pas, ce qui retourne les choses, c'est lorsque l'on comprend avec clarté que la vie est une série infinie de retours. Ce qui frappe n'est pas tant le silence atroce dans lequel est plongée cette galerie, que la sensation précise qu'il va arriver quelque chose d'extraordinaire. Samuele a bien compris que cette journée annoncée par son Apocalypse personnelle ne pouvait pas être une journée comme les autres. En effet, quand sa vue s'est accoutumée à la pénombre, Samuele peut regarder le visage du soldat : et ce qu'il voit le fait flageoler sur ses jambes.

«*Itte ti naras?* Comment tu t'appelles?» demande-t-il, terrifié par la réponse.

Le soldat le regarde un instant, et gardant toujours sous son contrôle le canon du fusil, il libère sa bouche. «Crisponi, dit-il doucement, comme si ce nom lui était venu à l'esprit seulement à ce moment précis.

– Luisi?» demande Samuele, avec la gorge qui se serre.

Luigi Crisponi répond que oui. Samuele tombe à genoux et porte une main à sa bouche. Lui, il sait que sans une action décidée les pleurs prennent leur dû.

Luigi Crisponi le regarde : « Stocchino », murmure-t-il, comme s'il s'agissait de quelque chose de tellement difficile à supposer qu'il faut le dire tout doucement. Samuele fait alors signe que oui, des larmes silencieuses coulent de ses yeux : combien de temps est passé ? Quinze ans ? Quinze ans.

Ils s'embrassent.

Sans doute l'embrassement entre Luigi et Samuele est la seule chose dont il est permis de parler.

« Mon ami, dit Crisponi en se détachant, mon ami, répète-t-il, que de choses j'ai vues de toi. »

Et il le dit comme s'il savait vraiment des choses qu'il n'est permis à personne d'autre de savoir. Comme s'il n'était même pas humain, mais une entité envoyée à cet endroit, dans le ventre de la montagne, tel un avertissement.

Un sentiment énorme, beaucoup plus grand que ce qu'il peut avaler, serre la gorge de Samuele. Luigi semble maintenant très calme. Et Samuele au milieu de ses sanglots peut constater qu'il n'a pas changé : certes, il a plus de vingt ans, à présent, mais il a gardé sa nature d'enfant. « Où as-tu été ? » parvient-il à demander à un certain moment.

Luigi a un petit sourire, il appuie confortablement son dos contre la paroi de la roche : « Où j'ai été ce n'est pas un endroit qu'on puisse raconter, explique-t-il. C'est tout. »

Silence.

« Tout va bien ? » crie le sergent depuis l'entrée de la galerie. Samuele regarde Luigi, puis il répond que ça va.

155

« Je t'ai vu mourir, Samuele, lui dit tout d'un coup Luigi. Tu es dans l'enclos de Tanino Moro, et depuis la porcherie, par traîtrise, on tire sur toi.

– Ce n'est pas moi que tu as vu, dit Samuele pour le consoler. Je n'ai rien contre Tanino Moro…

– Mon ami », répète Luigi. Et il le répète comme quand on veut donner raison à quelqu'un qui a tort.

« Allons-y maintenant, propose Samuele. *Ajò*, allons, tu nous as tous inquiétés. »

Luigi hausse les épaules, puis il fait un mouvement comme pour se lever, mais il s'appuie bien contre la roche en revenant à la position du début. Il semble qu'il va se lever, mais il est en train seulement de replacer dans sa bouche le canon du fusil.

À l'entendre de l'extérieur la détonation n'est rien de plus qu'une outre qui éclate. Le projectile, retenu par le casque et par la roche, danse dans le cerveau de Luigi, puis il laisse sur la paroi derrière lui la marque d'un léger transvasement, une traînée rouge sombre ; pour le reste, comme d'une outre percée, le sang coule sur sa nuque et son dos en passant entre la peau et la roche.

Quand ils entrent dans le tunnel à trois ou quatre, Samuele n'entend même pas ce qu'ils disent… Il mange la poussière, bat son front contre la roche. Ce qui sort de lui ce ne sont même pas des cris… Tous comprennent bien ce qui s'est passé, ils ont peur d'approcher.

III.
(Où l'on comprend qu'au moment où une guerre finit,
une autre commence)

Aussi, par compassion, il est expédié sur la Bainsizza.
Et là, Samuele tente de mourir, sans y parvenir. La terrible année 1917 est une année sanglante, mais c'est aussi l'époque parfaite pour celui qui a établi sans l'ombre d'un doute qu'il n'y a rien qui vaille la peine de continuer à souffrir. Même la pensée de Mariangela ne parvient pas à lui donner du courage, bien que dans les pires moments ce fût la seule façon d'aller mieux : la grappa et Mariangela. L'inconscience du cerveau et celle du cœur. Être amoureux, comme il voit à présent les choses, avec le cynisme qui a creusé une ride entre ses yeux, être amoureux est une autre terrible façon de se perdre soi-même. Certes, sur le champ de bataille a bon jeu celui qui peut bluffer contre Madame la Mort, peut-être en se montrant la poitrine découverte, désarmé, sans défense, détruit par l'existence. Certes, là, il suffirait de dire en pleine face à Madame que mourir serait un cadeau. La bête de Libye semble désormais une ombre pâle du séducteur qu'il a été dans le désert. Il est devenu un corps pour la mort, absent de lui-même, prêt à tuer et à mourir. Indifféremment. Il

157

plaît aux officiers, il fait peur aux sous-officiers. Ce qui arrive, c'est que ce corps pour la guerre parle très peu et toujours en s'offrant de mourir quelque part. Ainsi le « petit caporal » devient une sorte de figure mythique, mais dans une mythologie de gens qui ne savent pas, qui n'imaginent même pas combien Stocchino se trouve loin de l'héroïsme. Lui, lui seul sait bien qu'il ne faut pas beaucoup de courage. Il a une telle rage dans le corps qu'il est convaincu d'être devenu brusquement insensible à n'importe quelle douleur. Jusqu'au moment où la seconde lettre arrive.

La remise du courrier dans la tranchée est l'un de ces moments où l'on se sent très seul. Quelques soldats lisent leurs lettres à haute voix pour que ceux qui n'en ont pas reçu puissent les entendre, c'est une recommandation du Commandement parce qu'il pense, avec raison cette fois, que de ne pas avoir de nouvelles de chez soi fait baisser le moral des troupes. À travers les bureaux de propagande il invite aussi les civils à écrire aux militaires, il arrive ainsi que des parents analphabètes écrivent des lettres à des fils analphabètes. Il y a des soldats instruits qui lisent à d'autres, analphabètes, des lettres écrites par un écrivain public pour le compte des parents. Pour Samuele tout cela n'est pas vrai. Lui, il ne reçoit pas et il n'écrit pas, et pourtant il pourrait le faire. Il est de ceux qui préfèrent ne pas savoir plutôt que de savoir. D'ailleurs, Mariangela ne sait pas écrire, ni même Gonario, et de toute façon s'il arrive des messages au front cela veut dire qu'il y a des ennuis, parce que les mauvaises nouvelles vont toujours très vite, les bonnes sont très lentes. Quand il a reçu la lettre du père Marci, presque un an plus tôt, il s'est dit tout de suite qu'il devait être arrivé quelque chose, et quelque chose était arrivé en effet. Aussi, au moment où il entend que la recrue qui s'occupe du service postal l'appelle, il pense à une erreur. Mais il n'y a pas d'erreur. C'est une lettre bien écrite, on voit déjà sur l'enveloppe une calligraphie claire. Stocchino Samuele et cætera et cætera. Il n'y a pas de doute.

Quoi qu'il en soit, il prend sa lettre, mais ne l'ouvre pas tout de suite comme ils font tous, ils ne sont même pas assis qu'ils ont déjà déchiré l'enveloppe. Ils trouvent à l'intérieur des portraits photographiques, parfois d'enfants, parfois de demoiselles, parfois de vieillards, mais ils pleurent toujours devant ces images. Samuele met la lettre dans sa poche. De temps à autre il l'effleure de sa main, il la sent mince, ce doit être une lettre où il n'y a pas écrit grand-chose.

STOCCHINO ATTENTION QU'ICI TES ENNEMIS JURÉS SONT EN TRAIN DE TE FAUCHER TOUS TES AVOIRS ET ILS SONT EN TRAIN DE PROFITER DE TON FRÈRE QUI EST BON COMME DU BON PAIN ET DE TA MAMAN QUI EST RESTÉE SEULE... ET TES ENNEMIS SERAIENT MANAI GIACOMO, BARDI GIOVANNI AINSI QUE BOI EMERENZIANO QUI EN PRENNENT À LEUR AISE...

Il lit et relit, il lit et relit. Il la lit et la relit. Et il découvre que, cachée quelque part en lui, était restée, paresseusement emmitouflée, une rancœur subtile. Il découvre que cette rage impuissante, cette existence qu'il traîne avec lui est le fruit amer d'une plante poussée

159

dans l'envie. *Ranchia che benenu*, une rancœur aussi amère que le poison. Il crache par terre de la salive et du sang de ses gencives agressées par la pyorrhée à cause de la nourriture et de l'hygiène. Mais il comprend aussi que maintenant il est vraiment en danger : il ne veut, à présent, que rentrer chez lui.

Le capitaine Lussu le singe, tellement la demande qu'il a faite est absurde. Une permission pour raison de santé ? Une fièvre pulmonaire ? À ce moment précis ? Mais a-t-il compris, bordel, ce qui s'est passé à Caporetto ? De quelle permission parle-t-il ? Les ordres sont à présent de tirer sur les déserteurs, pas vraiment question de permission. En ce moment, on change tout ou on démobilise, a-t-il regardé autour de lui ? A-t-il vu la classe des gamins recrutés qui ont dix-sept ans ? Quelle permission demande-t-il, bordel. Ôte-toi des couilles, Stocchino, de mes couilles.

Ah, Madame la Mort, il pensait pouvoir la fuir par des chemins de traverse, et non, au contraire, cette Dame on la fuit en empruntant la grand-rue. D'un coup de reins, comme dit Diaz qui a remplacé Cadorna après la défaite.

Dirigeons-nous vite maintenant vers le printemps 1918, parce que tout ce que l'on peut raconter à partir d'octobre 1917 n'est que la répétition de ce que l'on a déjà raconté. Samuele a été sélectionné pour faire partie d'un corps d'élite d'amants de la mort. Qui d'autre sinon lui ? Le coup de reins a eu lieu parce que ce Diaz a le bâton prêt dans une main, mais dans l'autre il y a la carotte. Et la ligne du Piave a tenu comme si elle était enchaînée. Ils s'appellent à présent « Arditi », hardis, ceux des sections d'assaut qui ont fait couler à pic le *Sankt Stephan* le 10 juin. Ainsi que ceux du 10e régiment qui ont écrasé les austroboches sur le Piave.

Genesia pleure chaque fois qu'elle le raconte : Samuele ne voyait pas les dangers, dit-elle, sans attendre ses camarades il avait rampé vers un poste d'artillerie autrichienne, avait égorgé le soldat de la mitrailleuse, il s'était emparé de son arme et avait fait un carnage des ennemis. Puis, comme si ce n'était pas suffisant il avait chargé la mitrailleuse et le drapeau du régiment sur son dos et les avait portés dans les lignes italiennes.

Quand ils lui accrochent la médaille d'or militaire et qu'ils lui donnent le grade de sergent, Samuele pense seulement qu'il a accompli la moitié du parcours qui le conduira chez lui. En effet, la prime de la permission ne tarde pas à arriver.

À Arzana on lui a préparé un accueil de guirlandes avec fanfare. Le héros du Piave embrasse de nouveau tous ses proches. Sa famille est au premier rang. Antioca a désormais des fils blancs dans ses cheveux, Gonario est bouffi de mauvais vin acheté à bas prix. Genesia ressemble à une bonne sœur laïque, une demoiselle de sacristie : la femme du notaire l'a habillée en gris pâle et lui a accordé une journée libre. Il y a même les jumeaux, ses frères qu'il ne connaît presque

161

pas, élevés par des parents aisés à Oristano. Puis il y a
l'ombre de sa grand-mère Basilia et de tous ceux qui,
soit à cause de la grippe espagnole, soit d'autres souffrances, ont été pris sans avoir grandi. Il manque
Felice. Il est au cimetière. Il y a le père Marci qui a dû
faire déplacer tous les boutons de sa soutane tellement
il s'est élargi... Puis il y a eux : Giacomo Manai, Giovanni Bardi et même Emerenziano Boi, le tonnelier qui
à présent n'est plus tonnelier, mais fait du vin. Tous les
trois se présentent en public avec la tête de ceux qui ne
se gênent guère. Comme c'était écrit. De tous les trois
Samuele reçoit une poignée de main et une embras-
sade.

« Oublions ce qui a été », murmure Manai en l'embrassant.

Samuele ne répond pas.

« Santé et prospérité, murmure Giovanni Bardi en
l'embrassant.

– *Su matessi a bois*, pour vous de même, répond
Samuele.

– *Gai a chent'annos*, que ça dure cent ans, murmure
embarrassé Emerenziano Boi en l'embrassant.

– *In bida brostra*, que ce soit aussi votre vie », répond
Samuele quand il peut le regarder dans les yeux.

La Guerre est déclarée.

IV.
(Quiproquo)

En effet, deux jours seulement se sont écoulés depuis son retour triomphal et la soûlerie collective en l'honneur du héros arzanois est déjà passée.

Gonario, de ses chèvres, il ne lui en est pas resté une seule. Cela parce qu'il les a données en gage pour un bout de terre qu'il a dû par la suite quitter à cause d'un *hic* contenu dans le contrat qu'il n'avait pas du tout compris. Avec la mort de Felice, la maison s'est éteinte. Antioca fait ce qu'elle peut, mais on ne vit plus que de maigres herbes et de déchets de viande de buffle. Des œufs aussi, de temps à autre, en échange d'asperges, et encore de la *frissuredda*, de la petite friture, quand il en reste à la fermeture de la poissonnerie. Ils n'habitent plus que dans un bout de la maison, car le patron a repris la plus grande partie et l'a gardée ensuite fermée.

« Qu'est-ce que ça veut dire ? continue à demander Samuele.

– Eh... continue à répondre Antioca en ouvrant ses bras.

– Ça va, assure Samuele. Je vais m'en occuper. »

« Je vais m'en occuper » est quelque chose qu'Antioca ne veut vraiment pas entendre. Pour différentes raisons, dont l'une, la plus importante, est qu'il y a quelque chose qu'elle n'a pas encore dit à Samuele : elle ne lui a pas dit qu'à peu près vers novembre 1917 il avait été donné pour mort dans le village.

Les circonstances de ce quiproquo ne sont pas claires, mais, quoi qu'il en soit, un soldat de retour du front sans ses jambes avait dit à une connaissance commune, alors qu'il se trouvait à Tortolí, que Stocchino de ceux des Crabile d'Arzana était mort passé par les armes à cause d'une tentative de désertion. Eh, il dit qu'on avait entendu un sergent faire la demande d'un peloton d'exécution et qu'il mettait en question précisément lui, Stocchino arzanois. Ainsi l'avait-on donné pour mort et mort comme un lâche.

Une autre chose que personne ne veut raconter à Samuele est ce qu'on avait dit, à Felice Stocchino, peu avant qu'il meure...

Puis Gonario avait commencé à boire, car les hommes sans contrôle deviennent comme des petits enfants et leur maman peut faire ce qu'elle peut, mais à un moment donné un garçon a besoin, pour trouver sa place, d'une femme comme il faut. Or, Gonario était pourtant un beau garçon et il travaillait comme un bœuf, et alors pourquoi tout ce *disaccattu*, ce désastre ? Seul comme un lépreux. Va te chercher une femme ailleurs, lui avait dit un jour Antioca, mais lui : je n'en suis pas là ! avait-il répondu. Et il a commencé à boire, ce qui signifie qu'on en est à un point bien pire que ce que l'on croit.

Tout cela est arrivé quand on pensait que Samuele était mort, raison pour laquelle il valait mieux que celui qui était directement intéressé n'en sût rien.

Mais ce secret, que l'on pouvait garder caché juste comme un fils bâtard, ne dure que le temps d'une chute de neige en mars.

Trois mois passent, Samuele est entouré du confort rustique d'une maison pauvre, mais c'est toujours mieux que la tranchée : il trouve extraordinaire la cheminée allumée, ainsi que la soupe de chicorée, ainsi que l'*irmulatta*, le pissenlit rissolé dans le lard, ainsi que la couche avec le matelas de paille compacte.

Antioca tremble quand Samuele sort de la maison. Comme toujours, il a l'habitude *barrosedda*, un peu arrogante, de sortir en uniforme avec les bandes molletières, la pèlerine et le képi à visière.

Mais même quand il dit qu'il sort, Samuele ne va pas sur la place. Il s'en va au bout du village, à l'endroit où il rencontrait Mariangela. Pendant tout le temps qu'il est parti il n'a pas eu de nouvelles d'elle, et quand il est arrivé chez lui, il n'en a pas demandé. Quoi qu'il en soit, même s'il ne sait pas ce qu'il attend, tous les jours à la même heure il se rend au lieu de leurs rendez-vous.

Genesia parle de Mariangela avec Antioca, une autre de ces choses qu'on n'a pas dites à Samuele : Mariangela, son père l'a envoyée travailler à Nuoro, au service d'un avocat. Mais peut-être que de cela on peut en parler, se disent Genesia et Antioca.

Quand Samuele, aussi sombre qu'un matin d'hiver,

revient à la maison, Mariangela apparaît sur le pas de la porte.

Et ça oui, c'est une apparition, c'est moi qui vous le dis, une apparition avec beaucoup de frayeur, mais aussi de soulagement. Des trois secrets : la fausse nouvelle de sa mort, ce que quelqu'un a dit à Felice avant qu'il meure et le départ de Mariangela, le troisième au moins est révélé et résolu. Mais jamais, jamais faire l'erreur de se croire tranquille. En effet, le dévoilement du troisième secret apporte en sus le dévoilement du premier. En effet, la Mariangela qui apparaît dans la maison apparaît comme si c'était elle qui voyait une apparition. Samuele la regarde avec inquiétude et elle le regarde comme si elle voyait un fantôme et elle le dit.
« On disait que tu étais mort », murmure-t-elle. Cette fois, comme si elle y avait cru.
Samuele regarde autour de lui, Genesia et Antioca baissent la tête. Et Samuele comprend. Il comprend que ce qui compte n'est pas la valeur du secret, mais le motif du secret.
« Eh, commente-t-il, en effet. On m'a donné pour mort, ça veut dire que ça me rallonge la vie. » Mais il le dit avec une fausse gaieté.

Cette nuit-là Antioca ne parvient pas à dormir. Mais Genesia dort d'un sommeil épuisé de bête de somme et Gonario du sommeil mortel de l'imbibé d'alcool. Quant à Samuele, il croit dormir mais ne dort pas. Il croit avoir compris une chose, mais il sait que la chose qu'il a comprise, ce n'est pas ça. Aussi décide-t-il que dès l'aube il se mettra en marche pour Elíni, pour aller voir Redento Marras, avec lequel il existe toujours un rapport d'estime.

Mariangela, il s'en est fallu de peu, on ne la laissait pas rentrer chez elle, mais ensuite pour qu'il n'y ait pas de scandale on lui a ouvert la porte bien qu'elle ait fait cette folie orgueilleuse de quitter son travail, et quel travail, à Nuoro.

Oui, oui, un bon travail, c'est vous qui le dites, répond-elle avec impudence. Elle est devenue *fatzuda*, effrontée, maintenant qu'elle a retrouvé Samuele elle ne craint plus rien.

Tu vas mal finir, lui prédit son père. Tu vas mal finir !

Pendant toute l'année 1919 les choses suivent leur cours. Tant bien que mal. Samuele en tout cas s'associe avec deux autres rescapés du Karst pour une histoire d'achat et de vente et d'intermédiaire de bétail et tout semble bien marcher jusqu'à un certain point... C'est-à-dire jusqu'au moment où commence à se répandre dans le village le bruit qu'il ne s'agit pas d'achat et de vente, mais de vol de bétail. Ainsi, dès que quatre bêtes de Giovanni Bardi disparaissent, la conclusion est que Stocchino, ayant bu, boira encore. Et on envoie les carabiniers chez lui. C'est la démonstration claire que sous la cendre des baisers et des vœux, sous la cendre des fanfares et de la rhétorique, couve la braise du préjugé et de la rancune. Et de toute manière, on murmure partout que Manai, « le plus riche du village », a hâte de coincer Samuele, qu'il juge coupable de la mort de son fils Battista, même s'il n'a pas de preuves. Aussi envoiet-on chez lui les carabiniers avec une belle plainte circonstanciée parce que la nuit entre le 4 et le 5 janvier 1920 il a été vu par des témoins alors qu'il passait dans la zone Conc' 'e Mortu avec quatre têtes de bétail ovin du susnommé Bardi Giovanni de Nicola. Mais ils se trompent complètement parce que cette nuit-là ainsi que la précédente Samuele était au lit avec la fièvre pulmonaire dont il souffre depuis l'époque de la Libye. Il y a le certificat du médecin et il y a l'ordonnance pour le pharmacien. Manai, par la bouche de Bardi, chapeau bas, doit présenter des excuses.

Mais la trêve a été rompue. Et nous sommes le 15 janvier. Samuele a appris quelque chose de la guerre, aussi attaque-t-il. Il endosse son uniforme pour que l'on sache et l'on voie que la guerre, la vraie, a commencé. La voix du peuple et celle de Dieu commencent à souffler sur la petite flamme de la vengeance et disent que Stocchino, cet affront, il ne l'avale pas du tout.

Et pourtant, si on le voit dans la rue il semble tranquille, il parle et boit avec tout le monde, il dit à tous que travailler pour Bardi, Manai, et aussi pour Boi, c'est un risque. Pour Boi ? demandent les autres. En quoi cela concerne Boi ? Et Samuele hoche la tête. Il sait lui ce qu'Emerenziano Boi a à voir. Il y a des dettes nouvelles et des dettes anciennes, quand on commence à payer il faut tout payer, explique-t-il sans expliquer.

Pour cette raison tout le monde dit que désormais pour Stocchino *este s'annu e coa*, c'est sa dernière année, parce que s'il continue à menacer Manai et Bardi et Boi, il n'atteindra pas 1921. Personne n'a oublié l'avis accroché au portail de l'église six ans auparavant et personne n'a d'illusions sur le fait que les morts ensevelissent les morts. La ronde des intermédiaires reprend : le père Marci parle avec Antioca, le notaire Porcedda parle avec Genesia... Et même Redento Marras, qui a eu un pied blessé dans un accident dans les champs, fait appeler Samuele depuis Elíni, parce qu'il a quelque chose à lui dire. Et nous sommes le 17 janvier.

À l'aube du 18, quand Samuele se lève pour aller chez Redento Marras, il ne trouve pas son uniforme.

C'est Gonario qui l'a pris, toujours à moitié ivre, il l'a mis pour faire l'imbécile au village, c'est un ex-berger ivrogne, roulé par tous parce qu'il est vraiment sans défense ; il a l'esprit pénétrant sans être intelligent, Gonario, sait beaucoup de choses sur la campagne et le bétail, mais rien des hommes et peu des femmes. Aussi, maintenant qu'il n'a plus de bétail à soigner il est devenu un ancien combattant démobilisé. Un ancien combattant pathétique. C'est surtout ça qui fait souffrir Antioca : qu'un si grand cœur soit réduit à mendier la bienveillance des autres.

Et habillé avec l'uniforme de Samuele, avec la pèlerine et le képi gris-vert, Gonario a l'impression d'être redevenu un homme parmi les hommes, parce que, comme le dit toujours Antioca, même un homme ivre ne voudrait pas être ivre. *Mancu issu si lu cheret*, même lui ne l'aurait pas voulu pour lui. Sur la place, quelqu'un le regarde et lui, être regardé, lui fait vraiment plaisir, pour une fois qu'on ne le regarde pas avec compassion, c'est du moins ce qu'il croit. Il s'en va content comme un enfant, Gonario presque Samuele. Jusqu'à aboutir dans la cour de la maison de Tanino Moro. Tanino le voit bardé de la sorte : allez, on va jusqu'à la propriété faire une farce à Peppeddu. Peppeddu est le berger à son service, il a toujours eu peur des uniformes. Ainsi ils s'en vont du côté de Tanca Manna où Tanino a un lopin d'oliveraie, quelques arbres fruitiers, une bergerie et une porcherie.

À la maison, Samuele a foutu la pagaille, il pense que ce sont les femmes qui ont pris l'uniforme pour le laver, mais il suffit de regarder autour de soi, sur la chaise près de la couche de Gonario se trouvent toutes ses affaires... Comme ça, en civil, avec de vieux habits qui lui sont devenus étrangers, Samuele cherche son frère : sur la place on lui dit qu'il portait l'uniforme sur lui et qu'il faisait le *barroso*, le plein de morgue, mais ils ne savent pas où il est allé ni avec qui. À ce moment-là, il rencontre Tanino Moro qui arrive à cheval, il a le visage blanc comme de la farine. Gonario, dit-il, et ne dit rien d'autre, Gonario, Gonario...

Gonario est enterré à l'aube du 20 janvier 1920, on lui a ôté l'uniforme, bien que, au fond, le seul mort de la guerre chez les Stocchino ce soit vraiment lui. Il a guerroyé contre son existence misérable, contre le fruit d'une inimitié dont on ne peut triompher, qui s'accroît et prospère, au contraire, plus forte qu'avant. La dernière pelletée de terre sur le cercueil de Gonario est comme la signature d'un acte solennel.

Tout le monde dit qu'on ne parvient pas à comprendre ce qui s'est passé, mais Samuele le sait bien. C'est quelqu'un qui n'a pas besoin de périphrases pour comprendre les choses. Et alors, devant lui-même, fermé aux autres comme une porte de prison, il se tient le discours de la vie : les ennemis sont puissants, se dit-il, mais ils ont fait deux erreurs : la première a été de se mettre contre moi, la seconde celle de ne pas comprendre que je n'étais pas dans cet uniforme. La logique coule limpide comme une source : celui qui a tué Gonario s'est trompé de personne. Comme Luigi Crisponi dans sa vision. Lui aussi avait cru que Gonario était Samuele. Lui aussi s'était trompé de personne.

Le matin Gonario est sous terre, au début de l'après-midi Samuele marche vers Elíni.

Redento Marras qui ne peut pas se lever de sa chaise lui tend les bras en pleurant. Puis il l'implore de ne pas faire ce que tout le monde dit qu'il va faire. Mais Samuele, qui a appris à se rendre souple pour la mort et rigide pour la vengeance, ne répond même pas. Il sait que ce qui fait parler Redento, c'est le respect des obligations imposées par son lien de compère, et que, en raison des Saintes Huiles, il a le devoir de jeter de l'eau sur le feu, mais, malgré tout, il ne réussit pas à prendre une expression convaincante. Tant et si bien que Redento s'effraie :

« Fais attention, ces gens ne se trompent pas deux fois.

– Ils se sont trompés, au contraire, ils se sont trompés en tout... Et maintenant j'y vais, il se fait tard. »

Redento le regarde s'en aller.

V.

(Où il est démontré que tout se répète obstinément)

C'est une nuit froide, la nuit de la Saint-Sébastien, martyr de la Foi, lié à la colonne et transpercé par les archers de l'empereur. Son père Felice, loin dans le temps, avait dit que la justice habite les maisons des riches. Et la foi du pain noir, celle des simples, n'est qu'un récit oublié.

En marchant à la clarté sèche de la lune le sergent Stocchino arrive à la maison d'Emerenziano Boi. Là, en cet endroit précisément et dans cette répétition, il comprend quelque chose de terrible : le début de tout n'a pas été la farce du champ de patates. Non, le début de tout a été un verre d'eau refusé. Simplement. Et ça n'a même pas été le fait en soi, mais la manière. La violation désolante de la règle non écrite de la solidarité élémentaire. Ça avait été ainsi : d'une manière qui avait éclairé dans quelle solitude, dans quelle solitude désespérée, terrible, sans rachat possible on peut tomber. Samuele sait qu'à partir de cette nuit tout événement n'est rien d'autre qu'une marche vers l'abîme. Samuele le sait en lui-même, cette nuit-là a définitivement tué toute idée de rédemption.

172

La pleine lune se tient en train de boire l'horizon découpé comme le bord d'une coquille d'œuf cassée en deux, paresseuse d'une paresse comme la Mort, comme si elle était dans son premier sommeil.

20 janvier 1920. Saint Sébastien, martyr transpercé. Il est impossible de dire combien de temps Samuele rôde autour de la maison silencieuse d'Emerenziano Boi. Il ne saurait le dire, lui, le premier. Des heures ou peut-être des minutes. Mais il n'est pas impossible de comprendre avec quel désespoir il cherche à donner un nom à ce qu'il croit devoir faire. À ce qui lui semble la seule solution de tout : recommencer à nouveau. Rendre son équilibre naturel à un monde qui a basculé...

...

À présent, il ne peut plus revenir chez lui, cela il le sait, mais c'est dans l'ordre des choses.

Je me suis souvenu tout d'un coup du regard de mon père et c'est là que j'ai compris que je devais faire ce que j'ai fait... Je ne suis pas content, non, pas du tout, mais on ne peut pas expliquer ce genre de choses. Chaque fois que j'y ai pensé je me suis dit que j'avais été vraiment stupide, vraiment stupide de ruiner ma vie de la sorte. Mais on ne fait pas cela tout seul, on croit qu'on peut choisir alors qu'on ne choisit rien du tout. Vous croyez, vous, que je n'aurais pas voulu une vie différente ?

En somme, maintenant Stocchino est un meurtrier multirécidiviste en fuite. « Massacre dans l'Ogliastra »

ont écrit les journaux : et « acte de barbarie », et « carnage », et « extermination », et « tuerie »…

Mais, c'est incroyable à dire, à présent qu'il est en
fuite avec une belle mise à prix sur sa tête le respect lui
est acquis. À présent Manai, avant de rire du sergent, y
réfléchit à deux fois. Et avec lui son compère Bardi.
Cette fuite cependant, pensent-ils, est aussi une sécurité
et une protection.

« Nous, ça nous arrange de lui donner un coup de
main si ça se présente, dit Manai devant une assiette
d'agneau braisé au fenouil sauvage. Oui, oui, confirme-
t-il. Puis après on arrange tout le moment venu. »

Et en effet, de la part de Manai et de Bardi pour
Samuele Stocchino, le bandit, il n'y a que des signaux
de participation chaleureuse. Aides à la famille et respect social.

Samuele semble accepter de bon gré. Tout s'est
arrangé comme si l'état de fuite pouvait le reconduire à
la normalité. C'était un héros dangereux et il est devenu
maintenant un assassin en fuite. Et un assassin en
fuite, c'est clair, a un sens, il a une histoire et aussi une
littérature. À l'intérieur de cette motte de terre particu-
lière toutes les pousses doivent être celles de plantes
connues, de plantes dont on connaît le nom.

Manai senior, vieux et savant d'antiques savoirs, croit
que Stocchino en fuite est moins dangereux pour lui
que Stocchino héros. Et cela parce que depuis les temps
des temps on constate que dans ce village-monde il
existe des règles pour ceux qui sont en fuite, mais non
pour les héros.

Toutefois, Manai n'a pas eu l'occasion de voir com-

battre Samuele. Lui, senior, vieux et savant, n'arrive pas
à comprendre que connaître les règles sert à mieux leur
désobéir.

Alors, quand Stocchino se met à écrire pour la
deuxième fois, Manai ne peut pas croire ce qu'il est en
train de lire et perd la tête...

> *Tous les commis et métayers de Manai Giacomo et de*
> *son fils Luigi aura de moi une paie terrible.*
>   *Je signe et suis toujours Stocchino Samuele.*

Ponziano Patteri, qui trouve ce message sur la grille
de la propriété de Manai, en a presque une attaque. Il
arrive hors d'haleine chez son patron et le fait sortir de
son lit. « Le plus riche du village » prend dans ses mains
le message et l'approche de ses yeux pour regarder
l'écriture, car il ne sait pas faire davantage. Plus que le
contenu, c'est le tracé qui fait peur : une écriture
pointue, avec des boucles et des tarabiscotages.

Giacomo Manai entre dans la chambre de son fils
Luigi sans même frapper. Le jeune homme regarde
autour de lui étonné : quelle heure est-il ? Qu'est-ce qu'il
arrive ? Manai répond en jetant la feuille sur le lit. Cette
dernière plane sur les jambes recouvertes de Luigi... Et
enfin, le tracé parle. « Une paie terrible... » murmure
Manai pour lui-même. Luigi s'est réveillé complètement : qu'est-ce qu'on fait ? demande-t-il. Manai tombe
assis : je sais moi ce qu'on fait...

Quatrième partie
Triomphe, danse macabre et autres liturgies de la mort

« Il y a une vapeur trouble, elle cuit mon cœur
dément : elle bouillonne féroce, tout au fond,
dans mes moelles, pénètre à travers mes veines… »

L. A. SÉNÈQUE, *Phèdre.*

Chœur

Suspension. Au pendu, ne demandez pas ce qu'il a fait. Suspension. L'instant qui précède la réponse. Il n'y a pas ici de tragédie à raconter. Suspension. L'air est un soutien efficace, dans l'opposition des courants il produit une stabilité. Fixité du corps pendu. Tension et souffle retenu, comme à la limite verticale. Ne demandez pas au pendu ce qu'il a fait. Il dira qu'il se retrouve pendu pour un rêve qui a mal fini, pour une action non apaisée, pour la femme aimée. Il dira que pour le moment il lit Villon en compagnie des corbeaux. Il dira que le bulbe desséché du regard recueille encore quelques rêves pris au piège dans la pulpe. Ce corps pendu attend de danser, en un balancement discret, quand le souffle de Dieu arrive par la fenêtre ouverte. Ayez de la piété pour ce corps, ayez du respect pour son agonie de lumière. Il porte sur sa peau croquante le mystère d'un songe hiéroglyphique. Comme le fond d'un lac asséché. Ne demandez pas au danseur de vous expliquer le pas. Il vous dira qu'il ne sait pas expliquer ce qu'il fait. Ou plutôt, il vous dira qu'il ne sait pas le traduire en mots. Que la torsion et la distension viennent de l'intérieur, viennent du souffle quotidien, viennent d'un esprit souverain. Suspension. Ne demandez pas au corps pendu de vous raconter son destin. Il raconterait l'histoire d'un peintre, d'un fou, d'un secret. Il raconterait la frénésie du vrai trop vrai, comme une photographie. Silence ensuite, toutes les pensées alignées pour donner un sens, comme les fibres d'une ficelle qui lutte contre la gravité vorace. Comme les fils d'une corde. Ne lui demandez plus rien. Ne demandez pas comment il a fait. Il a attendu en prière, momie dans les millénaires. Quand on chantait encore à la sphère de la lune. Et que l'on expérimentait l'agonie silencieuse de l'immortalité. Ne demandez pas ce qu'il a fait.

I.
(Premier Livre des Morts : Battista, Felice, Gonario)

Battista Manai.

Battista Manai a été tué par sa stupidité, *ca fit bambu che ludru, unu drollo*, parce qu'il était aussi insipide que de la boue, un crétin. Il est mort vers 1915, plus ou moins. Et l'on a dit ensuite qu'il avait été tué par le bandit Stocchino parce qu'il avait poursuivi sa fiancée de ses assiduités. En tout cas, on n'a jamais su qui l'a vraiment tué... Battista, s'il n'avait pas été le fils du « plus riche du village » aurait eu une sale fin bien avant. Parce qu'il était stupide et violent, et quant à son père, c'était plus les fois qu'il devait l'arracher aux ennuis que les fois où il pouvait rester tranquille. En effet on murmurait dans le village qu'il n'était pas impossible, connaissant Manai, le vieux, qu'il ait, justement lui, payé un de ses commis pour qu'il le délivre de ce fils idiot. Et il y avait aussi la question de la proposition de mariage à Mariangela Palimodde qui, tout le monde le savait, était l'amoureuse de Samuele Stocchino. Aussi, que c'eût été oui ou non Stocchino qui ait tué Battista Manai, on ne peut vraiment pas dire qu'il ait fait un affront à son père Giacomo, bien au contraire, si les choses se sont passées ainsi, il lui a même rendu service. Quoi qu'il en soit, ce qui s'est passé c'est que Battista Manai, comme toujours, faisait semblant de travailler en donnant des ordres à droite et à gauche à des garçons de bergerie qui avaient eu l'ordre de ne pas exécuter ses ordres. Car ce qu'il défaisait était plus que ce qu'il faisait. On lui avait seulement dit, à lui, que le temps était arrivé de se caser et de trouver une fille honnête qui prenne soin de lui. On lui avait dit ensuite qu'on l'avait trouvée. Puis on lui avait dit encore que sa tante religieuse et sa sœur aînée étaient en train de parler avec les parents pour demander la fille qu'on lui avait choisie. Les versions sur la mort de Battista sont discordantes : certains disent qu'il a été frappé pour être volé ; certains disent qu'il avait levé le coude et qu'il est tombé en se cognant la tête ; certains disent, justement, qu'il a été tué par un commis de son père ; et puis il y a la légende qui dit que ça a été Samuele Stocchino : on dit qu'il l'a attendu un peu à l'écart de sa propriété et qu'il l'a poignardé en pleine poitrine, et on dit aussi qu'il lui a arraché le cœur de la poitrine et l'a porté chez lui pour qu'on le lui cuisine avec du vinaigre et des oignons. Les carabiniers ont conclu qu'il n'y avait aucune certitude. Stocchino s'en est sorti blanchi et une semaine plus tard il est parti pour le front. Donc, soit les carabiniers ont décidé que, en situation de guerre, il ne valait pas la peine de prendre deux bras à un fusil au front, soit, carrément, Manai Giacomo lui-même a tout étouffé.

Felice Stocchino.

... Et cela serait en liaison avec la mort de Felice Stocchino. On dit en effet que Felice Stocchino a été tué par une frayeur. En réalité, il se préparait à aller ramasser des pousses de chicorée et des asperges lorsqu'un commis des Manai s'approche de lui et lui dit que son fils a échappé à la justice, mais n'échappera pas au « plus riche du village », qui veut lui faire payer la mort de Battista. Felice dit que Samuele n'a rien à voir avec la mort de Battista. Et l'autre répond que non seulement il a à voir, mais que lui, Felice, qu'il se prépare le brassard de deuil, parce que Samuele ne reviendra pas vivant de la guerre, car s'il n'est pas tué par les Autrichiens quelqu'un d'autre pensera à lui régler son compte, est-ce bien clair ? Cette histoire effraie beaucoup Felice, qu'ils soient arrivés jusqu'à payer quelqu'un dans l'armée pour éliminer Samuele lui semble pire que la guerre elle-même. Pour lui, c'est comme si son fils avait des ennemis à l'intérieur et à l'extérieur, comme s'il n'était jamais en sûreté. Aussi s'en revient-il chez lui en remâchant cette affaire du tueur à gages dans les tranchées et il sent la petitesse, presque l'impuissance absolue qui l'enveloppe. Que peut-il faire, lui, dans la grande Histoire ? Quoi ? S'il savait écrire il pourrait alerter Samuele, mais il ne sait pas et il se méfie d'une délégation à des tiers. Comment peut-il faire ? Et si après tout on lui a dit quelque chose, comme ça, pour parler, et que lui, en se trompant, met Samuele dans les affres ? Et si au contraire celui qui l'a alerté veut intervenir en tant qu'ami et que peut-être il vaudrait donc mieux alerter Samuele ?

Entre-temps il revient chez lui. Antioca le voit rentrer, on dirait un fantôme, elle lui demande ce qu'il a, il répond qu'il n'a rien, qu'il ne se sent pas trop bien, que peut-être maintenant il s'assoit puis il s'allonge un peu. Antioca le laisse là en train de se lever de sa chaise pour aller s'allonger. Elle a des choses à faire dehors dans la cour. Pendant ce temps Genesia entre dans la cuisine pour prendre un tablier propre et repassé et elle voit son père assis à moitié penché, comme s'il voulait se lever et qu'il n'y arrivait pas et qu'il avait décidé de rester là. Elle s'approche, l'homme la toise avant de la reconnaître : oïe aïe, lui murmure-t-il, oïe aïe, *fizza mea*, ma fille... Genesia lui demande ce qu'il a, mais lui au lieu de répondre demande à son tour ce qu'elle pense qu'il faut faire avec Samuele à propos de ce qu'on lui a rapporté juste avant. Genesia demande quelle est cette chose qu'on lui aurait dite et qui la lui aurait dite. Mais Felice ne répond pas. Ainsi Genesia comprend qu'il y a quelque chose qui ne va pas et elle s'assombrit, mais Felice affiche un demi-sourire et lui demande de l'aider à se lever. Genesia obéit mais dans la seconde où elle s'exécute elle se rend compte qu'elle soulève un mort. Lorsqu'elles appellent le docteur, Felice ne respire plus depuis un quart d'heure au moins. Genesia a couru prévenir chez le notaire où on l'attend, parce qu'ils ont un déjeuner avec des invités. Et qui sait où Gonario est parti boire. Antioca pleure seule toutes ses larmes. Puis arrive le père Marci qui dit qu'il faut prévenir Samuele. Antioca ne sait pas si c'est bien ou non, son fils est dans un enfer, mieux vaut le laisser tranquille, l'important c'est que Felice s'en est allé bien et sans souffrance. Mais le père Marci insiste qu'à toutes fins utiles il vaut mieux prévenir Samuele, qui peut-être pour des raisons familiales peut demander une permission, même si avec les temps difficiles qu'il y a sur le front les permissions sont suspendues. Il s'en occupe lui-même, dit-il, il lui écrit une lettre simple pour qu'il ne s'inquiète pas... Cette nuit-là, alors qu'elles sont en train de veiller le mort, Genesia rapporte à Antioca ce que lui a dit Felice peu avant d'expirer. Et Antioca ne comprend pas, il ne lui a rien dit à elle, seulement qu'il était fatigué et qu'il voulait aller se reposer. Les deux femmes se regardent, puis hochent la tête comme pour dire qu'il est inutile de chercher à connaître les mystères insondables des mourants. Qui sait ce qu'il a voulu dire, conclut Genesia, et le propos s'achève là... Pendant la veillée du mort, les femmes se racontent la fois où Giacobbe Muntoni, que son âme soit en paix parmi les âmes, avant de mourir voulait qu'on lui déplace l'échelle du lit, quelle échelle? on lui demanda, mais il était plus là-bas qu'ici : en somme, une échelle qu'il voyait lui. Et une autre fois que Luisedda Piras regardait fixement un coin vers le haut de la chambre et sa fille qui la soignait lui demandait : qu'est-ce que vous regardez? Mais l'autre, très concentrée, et aussi un peu vexée, ne répondait rien, elle marmonnait seulement des choses incompréhensibles de ses lèvres désormais desséchées... Ce qui veut dire que les mourants, même si nous nous ne le savons pas, savent où ils sont en train d'aller...

185

Gonario Stocchino.

Puis c'est au tour de Gonario. Et là, la question se complique et devient sérieuse parce que les bruits s'entrecroisent. Il est certain que le jeune homme a été trompé. Gonario Stocchino était bon comme le bon pain. Autant Samuele était rusé, autant Gonario était simplet, sans être pourtant stupide, ça non, il avait même une certaine finesse qui lui était propre, il savait raconter les blagues et il était de bonne compagnie. Mais l'homme manquait, comme on dit. Mon Dieu, pour *spuntini e rebotte e tzilleri*, pour les parties de campagne, les festins, les gargotes il était parfait. Il était parfait aussi pour des questions de bétail et pour travailler comme un bœuf. Mais pour le reste, il n'avait pas l'étoffe. Il était vraiment affectueux, mais il lui manquait le feu qu'avait Samuele, et de beaucoup. Chaque fois qu'il entrait dans une affaire l'argent qu'il y perdait était plus que ce qu'il y gagnait. Antioca gardait ce fils dans ses jupes par la force des choses, elle n'était jamais tranquille si elle ne le voyait pas dans les champs, parce que Gonario était dans son élément naturel dans les champs. Là, il se transformait et savait des choses qu'il n'est pas donné de savoir aux gens ordinaires. Il était très recherché par tous les propriétaires pour la merveilleuse délicatesse avec laquelle il savait préparer les rangs de vigne, et pour sa façon de greffer les oliviers... Il avait des mains terribles, grossières, des doigts rudes, des paumes coriaces, mais il savait caresser le bétail avec une douceur qui rendait son regard paisible. Il était aussi naturel que le vent qui se faufile dans la laine des brebis ou la soie des cochons ou le crin du cheval. Gonario et les bêtes respiraient ensemble. Ils se mettaient à l'abri du soleil tapant sous le même chêne. Comme dans la nuit des temps : hommes et animaux qui contribuent à la grandeur de la création, sans autels ni saints, mais seulement la vie, qui dure ce qu'elle dure. Gonario savait que de savoir les choses peut devenir une malédiction. Même quand il buvait jusqu'à l'étourdissement, il était naturel. Comme quand la pluie implorée devient un châtiment d'averses, comme quand une journée de soleil se transforme en fournaise de Vulcain, comme quand une pousse très délicate qui promet est tout à coup piétinée par un sanglier. Il buvait comme ça, comme les choses naturelles qui soudain perdent toute mesure.

Tandis qu'il endossait l'uniforme de Samuele, le matin où il mourut, il avait la détermination lucide des mourants. Comment pouvait-on dire qu'il reviendrait de là où il voulait aller ? On ne pouvait pas le dire, on ne pouvait plus le dire, parce que son châtiment était l'absence de désir, exactement comme il l'avait toujours souhaité. Et maintenant, démobilisé de lui-même, il s'en allait à la ronde avec l'uniforme de Samuele. Et il n'était donc plus Gonario. En effet, à l'intérieur de ces vêtements il fut pris de la détermination fébrile que son frère avait toujours portée en lui. À l'intérieur de ces vêtements qui n'étaient pas les siens, une balle au cou venant du mur de la porcherie de Tanino Moro coupa son souffle. Comme la foudre qui tranche en deux un tronc.

II.
(Où l'on raconte que l'antique savoir
sait comment mettre la puce à l'oreille)

Et maintenant la Mort commence son banquet. Deux garçons bergers de Manai, qui emmènent cent soixante-dix têtes de bétail au territoire d'Orgosolo, sont retrouvés morts, le troupeau est dispersé... Bardi voit disparaître trois hectares d'oliveraie mangés par un feu nocturne et vorace... La maison de Boi est habitée par des sangliers et d'autres bêtes... *Domo rutta*, maison détruite.

Arzana a mis le brassard sombre du deuil.

Stocchino est toujours en balade, beau comme un soleil, crâneur comme le soleil. Il bavarde aux coins de rue, il offre à boire. Puis, peut-être le soir même, on apprend qu'un ouvrier a décidé qu'on ne peut pas risquer sa vie pour un quignon de pain et qu'il va donc chez son patron pour dire que Stocchino a parlé clair : *Tous les commis et métayers de Manai Giacomo et de son fils Luigi aura de moi une paie terrible. Je signe et suis toujours Stocchino Samuele.* Et cette paie ne nourrit pas ses enfants, au contraire elle les rend orphelins. Aussi les champs n'ont-ils plus ceux qui ont envie de les travailler et quand on trouve des ouvriers de l'extérieur ils ne mettent pas longtemps à saisir l'allusion et à faire leurs bagages.

Pour le maréchal des carabiniers Palmas, le délit de menace pourrait prendre forme, mais ce serait simplement quelque chose de plus sur le dos de c't animal de Stocchino qui doit déjà répondre du massacre chez les Boi.

L'évidence lie les mains à tout le monde. Maintenant Manai ne sort même plus de chez lui, et même mort il ne donnera jamais à ce chien d'«*isterju*», ce moins que porc de Stocchino la satisfaction de quitter Arzana. Il faudrait que la Justice protège, tonne le senior. Lui, lui, mis en échec par un vaurien !

La seule bonne chose pour Samuele est de rencontrer Mariangela. Ils se voient en cachette, maintenant encore plus qu'avant. Ils se voient et ne se touchent presque pas. Lui, avec elle, il redevient enfant, incertain, sans vigueur. Il lui semble qu'il ne peut même plus parler parce qu'il lui suffit de la regarder et il se sent tout de suite plein d'un bonheur obscur. Semblable à une douleur. C'est le seul sentiment qu'il ait éprouvé depuis le temps du détachement, de l'abîme, de la perte de l'enfance.

Il leur est parfois difficile de se rencontrer, sur la tête de Samuele il y a une prime de dix mille lires. Mais il a trouvé un endroit, une grotte large et aérée. Et elle y entre comme si c'était un palais royal bâti exprès pour leur terrible amour.

Souvent Mariangela regarde Samuele qui dort. Il ne se sent en sûreté qu'avec elle et seulement avec elle il se laisse aller. Il lui raconte parfois que quand il est tout seul dans le bois il peut entendre respirer les plantes avec des soupirs et des sifflements, et il peut entendre vibrer les pierres. Dans la nuit peuplée de la grotte il peut raisonner sur l'aboutissement que doit avoir sa vie. Chaque pas est un pas vers la fin. Mais aussi vers le début. Tout ce qu'il a obtenu lui a trop coûté, mais à présent ce n'est pas cette comptabilité qui compte, ne compte à présent que payer de la même monnaie. Les champs desséchés de Giacomo Manai et de Giovanni Bardi sont l'expression de son enfer domestique. Le silence de tombe auquel il a obligé le village tout entier crie sa victoire, mais à l'intérieur de la caverne, sans Mariangela, Samuele ne parvient pas à dormir.

Trop de soupirs, qu'il me semble être dans la *matta*, le ventre pulpeux de la baleine avant qu'elle crache Jonas. Trop d'obscurité, qu'il me semble être à l'extrémité cornue de la potence, perdu dans la nuit. Trop seul comme en un lieu de mort, quand te dit adieu même qui a juré de ne jamais te quitter, disant que l'accord dure tant qu'on est en vie, parce que dès que l'un s'en va vers l'autre côté alors il va de soi qu'on ne peut pas y aller à deux, même lorsqu'on meurt à deux ce n'est pas le nombre qui fait la mort : aucun nombre ne fait la mort. C'est la Mort qui fait la mort. À la guerre, les hommes mouraient *a muntoni*, par tas, comme des moutons, mais personne ne mourait en compagnie, chacun mourait pour son compte. Trop de mort vraiment, qu'il me semble habiter le monde d'en dessous.

Hors de la caverne *s'arbéschida*, l'aube chante et moi, je l'entends plus que je ne la vois. Je sors la nuit avec les hiboux, les chats sauvages et les furets. Je peux savoir qu'il y a un rat à l'égratignure des dents sur la coquille de la noix.

Puis je peux entendre le pas de Mariangela : sans la voir je sais qu'elle regarde derrière elle, incertaine, pendant qu'elle marche. Sans la voir, je peux compter les pas qui la conduisent à l'entrée de la grotte. Et je sens déjà la paix me caresser la nuque.

Qui sait les choses jure que Mariangela est morte immaculée. Qui sait les choses jure que Mariangela ne s'est pas donnée même quand elle a su qu'elle allait mourir. Mais qui sait les choses attend aussi le moment précis pour les dire. Pour l'instant Mariangela est comme l'épouse de Jupiter Tonnant. La toucher, elle, c'est comme implorer la foudre, comme demander à la tempête de s'abattre sur la terre. Elle se sent parfois fatiguée, quand ses périodes approchent elle est toujours épuisée et pâle. Mais elle est belle d'une beauté essentielle, le territoire sur lequel peut croître toute beauté. Samuele lui-même ne sait pas par quel bout cette femme l'a saisi, mais elle l'a saisi, et comment ! C'est elle qui décide avec douceur et qui gouverne avec le silence. Il est ce qu'il est parce qu'elle est là, et le jour fatal où il a décidé de lui désobéir il est devenu un autre, mais de toute façon elle n'a pas cessé de l'accepter. C'est elle. Mariangela, Mariangela Palimodde, trente ans. C'est elle qui l'a gardé en vie… Elle l'a arraché à la roche, elle a donné ensuite un sens à son retour.

Le 4 mars 1923 Antioca Leporeddu est arrêtée pour complicité avec son fils. Maintenant c'est comme ça qu'on fait. Depuis Cagliari arrivent les nouvelles de la révolution sans armes qui a traversé la nation. Quelle nation, depuis l'Ogliastra, depuis la Barbagia, c'est encore difficile à dire. C'est à Rome, cependant, que devait aboutir cette révolution en marche. Et elle a abouti. Une mâle révolution d'hommes résolus, sombres et énergiques, qui prennent l'avenir entre leurs mains.

Depuis trois ans Giacomo Manai vit chez lui dans l'isolement. Il ne sort que pendant la journée et entouré de ses commis. Et depuis trois ans Giovanni Bardi vit dans la terreur, il a grossi démesurément, il paraît le double de lui-même. Ils vivent de revenus secrets, d'accumulations des bonnes périodes, d'aides souterraines... Ils vivent de prêts usuraires. De ventes fictives.

Samuele n'a rien à faire, il lui suffit de couper les jarrets d'un troupeau, d'incendier un champ, d'apparaître à un abreuvoir avec sa pèlerine de sergent encore tachée du sang de Gonario. Il lui suffit de trancher la gorge à quelque serviteur si téméraire qu'il reste encore fidèle à ses ennemis.

La mort du tonnelier et de sa famille les a tous laissés incapables de réagir. Après le 20 janvier 1920 les choses ont changé : Manai, qui pensait pouvoir comprendre, comprend que des temps terribles ont brisé tous les langages, toutes les paroles possibles. Il est vieux, il n'y a rien après lui, Samuele a déjà gagné.

Des nouvelles arrivent ensuite de Cagliari, les soldats démobilisés du Karst sont appelés à porter la chemise noire, invité au grand jeu des « ismes ». Aussi Manai, qui plus qu'un soldat démobilisé est un combattant, se fait confectionner une chemise noire, une autre sera confectionnée pour Giovanni Bardi.

Ils voyagent en pleine nuit, pathétiques, cachés dans une cargaison de brebis. Comme de tristes Ulysses contre un Polyphème d'un mètre soixante-trois. Et ils arrivent à Cagliari et ils sentent le bétail comme dans la meilleure tradition des Pellites, les troglodytes des nuraghes revêtus de peaux. Son excellence Asclepia Gandolfo, préfet de Cagliari, les accueille comme le roi nain accueillit le monarque berger du Monténégro : avec une suffisance délicate. C'est une réjouissance funéraire de chemises noires. Une réjouissance de promesses et de perspectives : il ne se passera pas beaucoup de temps avant que la Sardaigne intérieure ait aussi un préfet. C'est une réjouissance de futurs possibles : un grand parti national qui conjugue les justes demandes des territoires qui ont tant contribué à la gloire guerrière.

Ce sont tous de très grands mots pour l'histoire que Manai doit raconter. Et trop petits pour ses attentes.

Ses ennemis à Cagliari, et Stocchino sur la place en train de faire le beau.

« Stocchino qui ? demande monsieur le préfet, déjà distrait par une certaine langueur à l'estomac.

– Un sergent décoré à la guerre », éclaircit tout de suite Manai senior, son antique sagesse sait lui conseiller le moment opportun pour mettre la puce à l'oreille.

En effet le préfet s'assombrit un peu. « Un héros de guerre ? »

Manai fait signe que oui : « Et quel héros, Excellence... »

Le préfet fait retentir la clochette qui se trouve sur son bureau. Giovanni Bardi ouvre tout d'un coup les yeux. La porte du bureau explose laissant entrer un homme très maigre avec de petites moustaches. Le préfet le prévient alors que l'autre va parler. « Que savons-nous de ce sergent... ? » Puis il s'interrompt en regardant Manai.

« Stocchino, scande ce dernier. Stocchino. »

Ainsi le 4 mars 1923 deux carabiniers mettent les fers aux poignets d'Antioca Leporeddu. Mariangela est presque décidée de n'en rien dire, pas même à Samuele, lorsqu'elle découvre qu'il le sait déjà. Elle le comprend à ses yeux. Maintenant ils se regardent et ils se parlent ainsi. Mais elle, un regard comme celui du visage de Samuele, elle n'en a jamais vu. Va, aujourd'hui ce n'est pas le jour, dit-il d'un battement de cil. Elle voudrait l'embrasser, mais elle comprend qu'elle doit s'en aller.

III.
(Second Livre des Morts:
Nicolina Bardi, Ponziano Patteri, Luigi Manai)

Cette nuit-là Nicolina Bardi meurt. Antioca est en prison, assise devant un bol de lait chaud avec le caporal-chef Butto qui la regarde en silence.

« Si vous vous attendez vraiment à ce que Samuele vienne ici, vous vous trompez », dit la femme sans se retourner.

Le caporal hausse les épaules. Pour lui, cette histoire d'arrêter les parents pour prendre les bandits en fuite n'est pas trop claire, mais c'est une vieille histoire, déjà connue.

Une heure passe, environ, et le père Marci arrive. Il s'assoit devant la femme et commence à lui parler doucement. Ce qu'ils se chuchotent est que Manai, personnellement, est en train de s'occuper de la faire remettre en liberté. Manai, lui, en personne. Antioca n'y croit pas du tout, que Manai se préoccupe d'elle, il se préoccupe de gagner les bonnes grâces de Samuele, plutôt, c'est quelqu'un de rusé...

« Mais si Samuele savait le mal qu'il vous fait avec la vie qu'il a choisie...

– Il le sait, il le sait, *pride*, père, mais il sait aussi

combien de mal nous avons subi. Qu'est-ce que vous voulez ?

– Si vous pouviez faire parvenir un message à Samuele. »

Antioca le regarde, puis elle saisit la tasse encore fumante et boit une gorgée de lait.

« Par les temps qui courent un héros, un militaire décoré comme lui peut se refaire une existence. »

Les yeux d'Antioca brillent comme lorsqu'elle attend un signe de la Vierge des Remèdes.

Cette nuit, juste au moment où Antioca parle avec le père Marci, Nicolina Bardi meurt. La fureur sourde de Samuele est comme la tape d'une ménagère qui aplanit un couvre-lit, sa mère est enchaînée, *incantada*, emprisonnée par la Justice et lui est en train de boire la nuit. Soif de tuer. Il boit la nuit, bien tendu comme un lit refait, il a ôté son uniforme et il s'est rasé. Il est aussi beau qu'un jeune époux, mais il est beau de sa passion pour le sang.

La femme marche d'un pas rapide, avec une corbeille de pain *lentu*, de pain mollet sur la tête, elle la soutient sans la toucher, elle s'est trop attardée pour pétrir du pain toute la journée pour les périodes sombres. Et maintenant elle est en chemin. Quand Samuele surgit devant elle, elle ne le reconnaît pas, mais lui la reconnaît, elle. Une âme simple, Nicolina, grandie dans la modestie du troisième enfant.

Et la nuit embrasse tout et tous. Samuele a emprunté cette ruelle pour se débarrasser de la fureur qui le ravage. Il sait qu'ils ne feront rien à Antioca, et pour-

tant l'affront est grand : c'est une action *metzana*, mes-
quine, que de prendre une femme âgée et de lui faire
tâter du sommeil froid des barreaux.

Nicolina se dit en elle-même que couper par la
ruelle permet d'économiser du chemin, et elle est trop
fatiguée pour penser.

Aussi se rencontrent-ils. Elle voit le jeune homme au
bout de la petite rue et elle accélère, lui, au contraire, il
ralentit. L'obscurité les dévore presque. Ils ont deux
intentions opposées : elle ne veut pas savoir qui est
devant elle, lui, il n'arrive pas à croire qu'il est tombé
sur celle qu'il croit reconnaître. Elle est en train de se
dire qu'elle a été imprudente de vouloir rentrer chez
elle à tout prix alors qu'elle aurait pu s'arrêter pour
dormir chez sa commère.

Juste au moment où le père Marci, en prison, s'assoit devant Antioca pour lui chuchoter un accord, la
lumière d'une lampe à une fenêtre coupe en deux la
ruelle. Là, ils se regardent. Nicolina saisit en un instant
que le jeune homme souriant n'est rien d'autre que le
cauchemar en chair et en os. Elle est simple mais elle
comprend tout de suite qu'être Bardi et être Stocchino
et être l'un en face de l'autre, avec Antioca arrêtée par
la Justice pour faire un exemple, ne peut signifier
qu'une chose. Aussi abandonne-t-elle le panier de pain
à son destin dans le ruisseau de la ruelle et ouvre-t-elle
grand la bouche pour crier, qu'on l'aide, qu'elle est
morte, que le diable veut la saisir, que le mal veut la
ravir.

Ils ne peuvent pas savoir que c'est le hasard qui les a
fait se croiser, mais ils ont assez de millénaires derrière

eux pour savoir que le hasard n'existe pas. Quelque part, une fileuse devait couper le fil.

Samuele dégaine la *leppa*, le couteau à cran d'arrêt, et son sourire, parce que cette femme est une réponse, c'est la souris pour le chat, c'est dent pour dent. Quiconque avait pris en charge sa misérable vie s'était lassé...

La pointe du poignard pénétra juste ce qu'il fallait pour faire exploser l'artère qui battait. Le flot de sang la surprit, ses lèvres n'étaient pas encore prêtes à l'accueillir. Elle ouvrit grand sa bouche se délectant de sa saveur fruitée et ferrugineuse. Une saveur de nuit pour Nicolina, elle aussi.

Les mains de Nicolina cherchèrent à s'accrocher au dernier espoir de survie en s'agrippant aux épaules de Samuele, puis elles s'abandonnèrent le long de ses hanches, cédant à sa respiration qui devenait de plus en plus faible.

Il lui sourit, comme s'il voyait cette respiration quitter le corps outragé. Comme s'il la voyait sous la forme d'un ange en fuite, battant des ailes inconsistantes pour abandonner à jamais sa demeure de chair.

Nicolina tombe le visage contre le sol, le ruisseau au centre de la ruelle emporte le sang et son dernier souffle. Samuele la regarde mourir et il est heureux comme on peut être heureux d'un blasphème. Il dormirait à présent, sa fureur semble s'en être allée avec la vie de Nicolina. Il dormirait, à présent, mais il lui reste encore quelque chose à faire.

Il y a un châtaignier dans la cour des Bardi, juste au centre de la cour murée comme une forteresse. Le feuillage du châtaignier effleure le mur d'enceinte inexpugnable. Et il y a un banc en granit devant le portail. C'est là que s'asseyaient les serviteurs avant la *disamistade*, l'inimitié, là que riaient les femmes l'été en prenant le frais. Sur ce banc Samuele pose la lettre qu'il a écrite. Et il place dessus un caillou pour que le vent ne l'emporte pas.

Population d'Arzana et encore de ces Circonvoisins bien qu'ils imposent que je sois un méchant et au contraire nous suis une personne et sage et je ne veux pas faire de mal à qui ne le mérite pas. Je fais part donc à tous Ceux qui se prêtent à aider mes adversaires Bardi Giovanni et Manai Giacomo ensemble avec son mauvais fils Luigi aura de moi en paie la même Dragée.

Je signe et suis toujours Stocchino Samuele.

Eh, la règle terrible de la mort qui appelle la mort. Il est presque l'aube quand, épuisé, Samuele retourne dans sa grotte de bête traquée, à son ventre de roche, à sa tanière de bête féroce.

En ce moment même, Antioca est raccompagnée chez elle par deux recrues terrifiées : Genesia est là qui l'accueille le visage terreux, ravagé par l'angoisse.

Entre-temps le hurlement de Giovanni Bardi, auquel on présente le corps sans vie de sa troisième fille massacrée, rompt définitivement la nuit.

Mariangela se réveille en proie à de très fortes douleurs au ventre.

Le matin suivant Manai défie le soleil pour aller chez son beau-frère en deuil. Nicolina est sa nièce. Mais il se risque surtout parce que la nouvelle de la deuxième lettre a couru de bouche en bouche, et lui, il veut la voir de ses yeux. Il est resté éveillé se creusant la tête pendant toute la nuit et il croit avoir trouvé une solution. La solution c'est d'arrêter de se défendre, et d'attaquer. Aussi Ponziano Patteri, de la part et pour le compte du « plus riche du village », s'est déjà mis en voyage pour Elíni. Une visite à Redento Marras, qui a des liens de Saintes Huiles avec la famille Stocchino.

Mais pour le moment, à la lumière du soleil, et en compagnie de son fils Luigi seulement, voilà Giacomo Manai qui frappe chez Giovanni Bardi. Sans même regarder il dépasse la chambre ardente où les femmes lisent sa vie à Nicolina la douce.

Giovanni Bardi, les yeux rouges, le suit dans la cuisine. Creuse-toi la tête, dit Manai à son beau-frère en saisissant la lettre de Stocchino avec des mains tremblantes, arrête de pleurer, parce que maintenant le moment de tout lui faire payer est arrivé. Bardi regarde le vieux comme s'il ne comprenait pas ce qu'il dit, et pourtant il dit quelque chose de tout à fait simple. Ce qui reste incompréhensible pour lui, cependant, est le fait que sa fille morte n'ait pas été une raison suffisante pour combler la mesure, mais cette lettre, oui. Il faudrait expliquer au père affligé que dans la cosmogonie personnelle de Giacomo Manai *sa bida*, sa vie est un satellite, *sa robba*, ses biens une planète. Survit en Giovanni Bardi un fragment de doute, pour le reste il écoute. Faisons comme je te dis, est en train de dire Manai…

Ponziano Patteri arrive à Elíni alors que la nuit commence à tomber. Redento Marras l'accueille chez lui et lui offre des fèves et du lard et du pain d'orge. Patteri mange en silence en vidant l'assiette et en buvant du vin de campagne, avec une grimace il avale une bouchée et du vin, puis il s'essuie les lèvres.

« Redé, la situation ne peut plus continuer comme ça… » commence-t-il.

Redento Marras ne bouge même pas. Dans l'arc est la pierre de touche, dans l'enclos se trouve l'enceinte qui embrasse les bêtes, dans la terre est la racine qui filtre les pluies, dans le fleuve est l'estuaire qui s'échappe dans la mer.

Et pourtant il ne bouge pas.

Il n'arrive pas à répondre à Ponziano Patteri envoyé par Manai. C'est une histoire sans issue, et on aurait envie d'en discuter si ce n'était qu'on est en train de parler de rien, on est en train de parler d'un précipice.

« Moi, je ne peux rien faire. Rien, l'arrête Redento Marras.

– Fais-le venir ici, conseille Patteri. Nous les faisons se rencontrer ici chez toi et nous essayons d'arranger les choses. À toi, il fait confiance, nous les mettons face à face et nous les faisons discuter en hommes, chacun avec son grief…

– Ici, non, corrige Marras. À Sa Muddizzi.

– À Sa Muddizzi », convient Patteri.

Nous sommes le 14 mai 1923. Depuis deux semaines Patteri et Marras travaillent pour la rencontre de clarification. Tout a été dit : que Manai est prêt à un accord ainsi que Bardi ; que Samuele veut le nom de celui qui a tué son frère Gonario ; que, à Cagliari, on offre de grandes possibilités aux démobilisés décorés ; que Manai et Bardi s'engagent à faire une collecte pour régler l'équivalent de vingt mille lires qui est la mise à prix qui pèse sur la tête de Samuele. Et clore ainsi le contentieux.

Sa Muddizzi est une propriété exposée au soleil, placée sur le flanc du coteau exposé à l'est, un terrain pelé mais riche d'un bon pâturage.

Samuele s'habille de bonne heure, dehors il fait encore noir. Du fond du bois arrive un pas humain. C'est le pas que Samuele reconnaît parmi tous les autres. Ce n'est pas le pas suspendu de Mariangela, ce n'est pas le pas décidé du chasseur, ni celui circonspect du soldat. Mais il s'agit d'un homme : il comprend cela au son sec des feuilles qui se brisent. Ainsi, avançant sur ce territoire qu'il connaît comme lui-même, il se retrouve derrière un homme. Quand il le saisit par le cou, l'homme semble soulagé.

« C'est moi », dit-il en étouffant un hurlement.

Samuele le regarde, il sait qu'il le connaît, il le sait bien, mais il ne se souvient pas d'où il l'a vu.

« Rubanu. Rubanu d'Ulassai. »

Eh, il ne peut pas oublier, lui, que Samuele lui a sauvé la vie quand il était à un pas du peloton d'exécution. Aussi a-t-il décidé de faire ce qu'il est en train de faire, et ce qu'il est en train de faire, c'est de le mettre en garde. Samuele ne le sait pas, mais cela fait quatre jours que les carabiniers ont arrêté Redento Marras, et il ne sait pas que Ponziano Patteri, aussi soûl que saint Lazare, a confié que, à la rencontre à Sa Muddizzi, Samuele ne trouvera que du plomb. Il ne sait pas que depuis qu'ils ont endossé la chemise noire Manai et Bardi peuvent compter sur un appui très puissant, à Cagliari même. Lui, il ne sait pas comment les choses ont changé, parce que les choses changent un peu tous les jours. Samuele écoute. Rubanu le regarde, il ne parvient pas à se convaincre que le grand destin de l'homme en face de lui se soit amusé jusqu'au point d'en faire une bête traquée.

Quoi qu'il en soit, Samuele va à Sa Muddizzi. Rubanu le suit en peinant à garder son allure. Quand ils arrivent à une certaine distance, Samuele dit à Rubanu de ne pas avancer. Rubanu répond que puisqu'il y est autant aller jusqu'au bout, il dit qu'il a une dette trop grande envers lui, il dit qu'il est fort avec une baïonnette. C'est justement pour cela qu'il doit s'arrêter, explique Samuele : si c'est moi qu'ils attendent, ils ne t'attendent pas toi, et s'ils nous voient ensemble ils se mettent sur leurs gardes. Rubanu lui dit qu'il le couvre. Ainsi Samuele avance seul. À quelques pas du mur en pierres sèches Ponziano Patteri se porte à sa rencontre.

« Redento Marras ? » demande Samuele.

Patteri tombe des nues. « Nous l'attendons nous aussi, dit-il. On ne l'a pas encore vu. »

Samuele prend son souffle comme pour lui répondre,

mais de l'intérieur de sa pèlerine militaire il pointe le fusil et tire sur lui, à bout portant, en pleine poitrine. Ponziano Patteri ouvre les bras comme s'il voulait prendre son vol et, en effet, il vole en arrière comme si la décharge de plomb qui l'a assailli était une rafale de vent. Il tombe par terre avec un grand bruit sourd, sur son visage se fige le regard pathétique de celui qui n'a pas eu le temps de comprendre ce qu'il lui arrivait.

De derrière le mur en pierres sèches part une décharge de grosses balles, puis encore, puis encore...

Luigi Manai épaule son fusil et crie :

« *Pudessiu... Fizzu 'e bagassa*, fils de pute !!! »

Samuele sent le plomb qui lui entame la chair d'une hanche, c'est comme la déchirure d'un fouet. Il se baisse pour prendre son souffle, mais les hommes de Manai tirent aveuglément. C'est une pluie, un orage. Samuele lève une main comme pour donner l'ordre de cesser les tirs : une balle la lui transperce. Puis il s'élance penché vers le sol et court dans le maquis, dès le deuxième pas il comprend qu'il traîne une jambe. Les hommes, et leur patron Luigi Manai, le poursuivent en se donnant réciproquement du courage comme s'ils goûtaient d'avance la fin de tout.

Rubanu entend de loin les tirs et commence à courir : il est possible que Samuele le renard rabatte vers lui la meute de chiens glapissants, alors il va à sa rencontre. Mais ce n'est pas ça, le souffle coupé et le regard voilé, Samuele comprend que sa décision d'affronter un danger qu'il connaissait cachait le désir que tout finisse.

L'idée d'être arrivé à la fin le fait courir avec plus

d'enthousiasme. Les domestiques et Manai courent au contraire parce qu'ils savent que si Stocchino se glisse dans l'épaisseur de la forêt il ne va plus être possible ensuite de le débusquer. Mais ils ne savent pas que l'idée de Samuele, à présent, est seulement de rendre plus difficile l'inévitable. Aussi court-il, lui-même ne sait pas comment. Il court.

Il court.

Ce matin-là Mariangela se lève de son lit avec une sensation terrible de nausée. Elle a fait deux ou trois pas dans la pièce et elle sent quelque chose qui coule entre ses cuisses. C'est quelque chose qui a une consistance gélatineuse et chaude. Elle s'essuie impulsivement avec les pans de sa chemise de nuit. Le tissu se tache de rouge sombre, mais ce n'est pas du sang menstruel, c'est comme du sang coagulé. Depuis quatre jours une asthénie terrible la cloue au lit. Depuis quatre jours elle n'a pas de nouvelles de Samuele. Quand elle appelle à l'aide, elle ne se rend même pas compte qu'elle est tombée par terre.

Il court... Luigi Manai a le regard de celui qui est en train de décider de sa vie et de son avenir. Il sent, plus qu'il ne le voit, l'odeur de Stocchino qui fuit courbé au milieu des lentisques, par moments il tire contre son ombre, mais quelqu'un, derrière, lui crie d'arrêter de gaspiller des coups.

Samuele pense que depuis quatre jours il n'a pas de nouvelles de Mariangela.

Rubanu regarde autour de lui, désorienté, son souci, maintenant que le maquis s'épaissit, est que les tirs soient déviés par les roches qui affleurent. Il entend hurler devant lui : quelqu'un dit de ne pas gaspiller les balles. Quelqu'un dit que Stocchino est en train de se jeter dans un piège.

En effet, ils le savent bien, la course de Samuele finit devant la crevasse. Une fente étroite qu'il reconnaît immédiatement, il y est resté pendant quatre jours lorsqu'il avait sept ans.

Ils sont maintenant arrêtés l'un face à l'autre, Luigi Manai et Samuele Stocchino. La bouche de Manai tremble, il n'arrive pas à croire qu'il a coincé Stocchino, il n'arrive pas à croire qu'il peut lui parler à cette distance. Samuele sent le gouffre qui chatouille ses chevilles. Je vais tirer sur toi, marmonne Luigi Manai, son corps est dévoré par la peur. Il a le regard fou de celui qui va mourir tout d'un coup, je te tue, continue-t-il, mais sa voix est réduite à un sifflement. Samuele le regarde, il pense au vide derrière lui, d'un mouvement imperceptible il déplace un pied en arrière, s'il fait un demi-pas il n'y aura pas de terre pour le soutenir.

Les hommes de Manai lui crient de tirer, *per Deus !* bon Dieu ! Mais la bouche de Luigi s'est tordue dans une grimace retenue, il sent son sang se glacer en lui, il sent les yeux de Stocchino qui regardent au-delà de lui. Au cours des quelques secondes que dure ce face-à-face, Luigi met sa vie en jeu.

« Tu es mort ! » crie-t-il encore une fois. Mais c'est une fois de trop.

Le coup part, mais le fusil qui tire, de sous la pèlerine, est celui de Samuele.

Luigi ne peut pas comprendre, lui, il n'a pas fait la guerre. Avant que ses hommes se rendent compte que Luigi a été balayé par le coup, et qu'ils doivent tirer à leur tour, Samuele se jette dans l'abîme.

Hébétés, ils se penchent vers le vide : il n'y a aucune trace du corps de Samuele.

Le regard du docteur dit tout. Mais en s'adressant à Mariangela, sa bouche sourit. Ainsi elle sait, sans l'ombre d'un doute, que ses jours sont comptés.

Au village les domestiques apportent des nouvelles de guerre. Ponziano Patteri et Luigi Manai sont exposés sur un chariot comme deux sangliers, comme du gibier pour les festins. Samuele est mort.

Rubanu court hors d'haleine jusqu'au bord du précipice et regarde en bas. Sainte Mère, quelque chose bouge sur les branches d'un grand genévrier qui a pris racine dans la paroi de la roche.

IV.
(Troisième enterrement et troisième résurrection
de Samuele)

« Où suis-je ?
– En lieu sûr, répond Rubanu, en lieu sûr, qu'il m'arrive malheur… »
Samuele ouvre les yeux. Rubanu a la sensation d'être le témoin de quelque chose que l'on ne peut même pas raconter, il sait, lui, la peine que ça lui a coûté d'extraire Samuele de la crevasse. Le lit est confortable, mais Rubanu vit dans une sorte de taudis aux confins du territoire d'Ulassai.
« *Dae cando so a in oche ?* Depuis quand je suis là ? » demande Samuele.

Douze jours sans nouvelles. Antioca est au bout de ses espoirs. Aussi se dit-elle que le moment de fermer les yeux est arrivé. Belle comme quand elle est allée à la procession de l'Immaculée, elle s'assoit sur la chaise qui avait été celle de Felice et qui est toujours restée devant la cheminée. Mais d'abord, saisie d'une pensée soudaine, elle est allée vers la malle, elle l'a ouverte, elle a fouillé dans les belles serviettes à la recherche du cœur de Samuele, la pierre de fleuve brisée qu'elle avait recomposée avec de la ficelle. Elle l'a prise et l'a gardée serrée dans son poing. Puis elle s'est dirigée vers la chaise où Felice était mort, elle est allée, elle aussi, mourir.

Mariangela va bien à présent, il lui est même revenu un peu de couleur sur les joues. Alors elle se met en chemin, elle sait bien que ce que l'on dit de la mort de Samuele n'est pas vrai. Ça n'a jamais été vrai. Sans le corps mort la mort n'existe pas. Aussi se met-elle en chemin parce qu'elle sait que lui, où qu'il soit, revient, et quand il revient il veut la trouver près de lui. À la caverne il n'y a aucun signe de vie.

Samuele regarde l'autruche qui le regarde sur la page du livre d'illustrations zoologiques de Rubanu. Elle est comme un monstre marin, mais terrestre. C'est ainsi qu'elle est.

Il essaie de se lever, il parvient à rester assis. « *Doichi dies*, douze jours », explique Rubanu.

Samuele regarde sa main bandée. Sa hanche endolorie est bandée elle aussi.

« L'Enfer ne veut vraiment pas de toi, sergent », lui dit Rubanu.

L'été est en train de se déployer hors de la pièce. Les gentianes préparent leurs fleurs de juillet.

Silence.

Quand Samuele revient à la caverne il sent qu'il n'est pas seul. Ses blessures lui font mal, il a amené avec lui le livre sur les animaux que Rubanu lui a offert.

Sur le lit, Mariangela semble dormir, mais Samuele reconnaît tout de suite la mort. Alors il s'allonge près d'elle et pense que le jour où il mourra il voudra mourir exactement où elle est morte. La lucidité tranquille avec laquelle il comprend qu'il a tout perdu l'effraie un peu. Mais ce qui l'effraie par-dessus tout, c'est toute la vie qu'il a devant lui.

V.
(Des voix et d'autres voix)

Je l'ai vu, moi, Stocchino, quand tout le monde disait qu'il était mort, et les Manai et les Bardi et tous les amis avaient payé une messe et un nouveau manteau de procession pour la Madone brodé par les religieuses cloîtrées, et encore des bijoux, et même une couronne en argent massif. En tout cas, ils étaient tous à l'église en train de remercier. Moi, je piochais dans mon jardin et je l'ai vu à la lumière du soleil. Vieilli, triste, je crois qu'il avait de quoi être triste...

Quoi qu'il en soit, il s'en va avec son uniforme déchiré, sale, il traverse le parvis et il se place devant le portail de l'église. Eh bien, vous auriez dû entendre les hurlements quand quelqu'un de l'intérieur a dit que Stocchino était là dehors. Ils ont tout de suite barricadé l'entrée, et Stocchino sans perdre contenance est resté debout à regarder le portail fermé, il a marqué ensuite avec le pied un S par terre et il s'en est allé tout comme il était arrivé. Sans que personne ne fasse rien.

Je venais juste de commencer à travailler pour Manai à cette époque-là, quand on disait que Stocchino était

211

mort. Mais, vous parlez d'un mort... Nous étions tous à l'église, nous irions manger ensuite, lorsque Mundinu arrive de la place, il essaie de dire quelque chose. Le vieux Manai va presque le gifler parce qu'il ne parvient pas à lui faire dire ce qu'il a à dire, mais l'autre continue à balbutier et dans son balbutiement quelqu'un comprend « Stocchino ». Alors tout le monde se tait, même les enfants de chœur se taisent. Même le père Marci se tait en plein milieu du Gloria. Un silence terrible pendant une seconde, puis, tout à coup, les femmes commencent à geindre comme bêtes qui vont mourir et à embrasser leurs enfants : certaines ne sortaient pas de chez elles depuis quatre ans.

Ce fut comme au moment où les Hébreux qui faisaient la fête dans le désert en adorant le veau d'or virent arriver Moïse au beau milieu des réjouissances. Les femmes de chaque famille regardèrent les hommes avec reproche. Les Dui, les Marcialis, les Secchi, qui avaient réussi à se tenir à l'écart de la *disamistade*, de l'inimitié, comprirent qu'en prenant part à ce rite à côté des Manai et des Bardi ils s'étaient imprudemment exposés et compromis, mais ils comprirent, surtout, qu'à partir de ce moment ils étaient un nom de plus sur la liste du tigre...

En effet, debout au milieu de la place, avant de s'en aller, Stocchino cria contre le portail barricadé de l'église paroissiale :

« Je ne tue pas le jour du Seigneur. Mais des jours il y en a encore six, faites attention... Je vous ai tous regardés, et je connais votre prénom et nom à tous, et ces tous doivent connaître la Dragée que je leur offre ! »

Quand les carabiniers arrivèrent, il n'y avait plus aucune trace de lui.

Imaginez la scène : cet homme a tout perdu. Il se donne en cible, mais plus il s'expose, plus il semble imprenable. Il vit dans l'aura de l'immortalité comme dans une cuirasse. Pendant sa disparition, gardé et aidé par Rubanu, il y avait eu au village l'euphorie d'un cauchemar qui s'achève. Les histoires étaient enchevêtrées aux histoires. Les hommes de l'expédition à Sa Muddizzi se sont vantés d'un cadavre qu'ils n'avaient pas vu, mais que, sans doute, ils avaient voulu voir ; en tout cas, ils ont pensé que Stocchino ne pouvait pas revenir du précipice dans lequel il était tombé. C'est pour cette raison que Manai avait repris ses apparitions sur la place et les villageois avaient recommencé à le saluer avec respect, d'autant plus qu'il portait maintenant la chemise noire, et même là, dans ce trou lointain, la chemise noire comptait pour quelque chose. Pendant les deux mois où l'on crut Samuele définitivement, irréfutablement mort, quelques métayers commencèrent à piocher les terrains abandonnés à eux-mêmes pendant des années et à tailler des oliviers réduits désormais à l'état sauvage et à redresser des rangs de vigne abandonnés à leur destin.

On montrait pour la première fois aux enfants nés et grandis en captivité le village en dehors de la cour fortifiée. L'enthousiasme des femmes au marché ou au lavoir était celui de petites filles qui voyaient le monde pour la première fois. Arzana mettait un bandeau blanc, celui de jeune mariée.

Mais la réapparition de Samuele sur la place met le mot fin à tout ce début. Elle ouvre même la voie à « la saison terrible ». Maintenant que les conventions ont été brisées, avec Antioca enterrée sans avoir été pleurée, avec Mariangela enterrée et pleurée jusqu'au tarissement des larmes, Stocchino est une chair vivante.

L'antique sagesse comprend bien ces choses-là, c'est pour cette raison que chacun de ceux qui étaient à l'église ce dimanche s'évertue par tous les moyens à faire savoir qu'il n'a rien à voir avec les Manai et les Bardi. Rien que le jour suivant quatre personnes sont retrouvées mortes dans la propriété Mortu S'Omine, alors que, ignorant ce qui était arrivé sur la place le jour précédent, elles travaillaient dans la grande vigne. Deux sont du village, mais deux autres viennent du continent, Mussolini les avait expédiées en Sardaigne pour voir si on pouvait remédier à sa propre faim avec la faim d'autrui. Le mercredi suivant trouvent la mort sur la route provinciale un cousin germain de la bru de Bardi et Venerio Dui, qui avait eu le tort de se trouver à l'église trois bancs derrière celui de Giacomo Manai. La mise à prix grossit : soixante mille lires à présent. Mais cette mise à prix pour le non mort ne fait envie à personne.

Après avoir rétabli la règle de la terreur, la seule qu'il connaisse, Stocchino, fou de solitude, veut penser à l'avenir. Il a deux frères qu'il ne connaît pas placés depuis leur enfance dans la région d'Oristano chez de lointains parents, il a Genesia qui, ayant quitté son travail chez le notaire, est partie au service d'un médecin à Sassari, qui est à l'autre bout du monde.

La maison vide est restée à la merci des moisissures et des vents parce que le propriétaire légitime n'a pas le cœur, ni le courage, de la réclamer.

Aussi commence-t-on à le voir partout : dans les couvents habillé en bonne sœur, dans les bois nu comme le premier homme, près des sources au moment où il se désaltère avec les bêtes, aux croisements alors qu'il attend l'ennemi. Aux enfants qui ne dorment pas on dit que le tigre arrive. Sept crimes en 1925. Toujours à un pas d'être capturé, toujours impossible à capturer.

Samuele n'est pas vivant, celui qui l'attraperait découvrirait que cette enveloppe de nerfs et de muscles est un corps vide. Celui qui l'a regardé dans les yeux a vu le regard vide, distant, du bourreau.

Qui sait les choses dit qu'en fin de compte certains riches de la zone profitèrent de la situation pour gagner les bonnes grâces de Stocchino et s'approprier une partie des biens de ses ennemis. Qui sait les choses dit : raisonnez un peu... À votre avis, Stocchino, à lui seul, pouvait-il faire tout ce qu'il a fait ?

Mais comme l'a écrit le poète :

Como nessi no tenzo s'orriolu
de dare attentu a sa tanto istimada :
de cussa razza de sos traitores
devo distruer manoos e minores.

215

Puisque je n'ai aucune envie
de surveiller la femme que j'aime
de cette race de traîtres
je veux détruire grands et petits.

Son Excellence le préfet Gandolfo a l'impression
d'entendre une langue qui n'en est pas une. Celui qui
parle de cette façon est certainement dangereux. Son
assistant à la petite moustache, au contraire, a l'impression de lire les comptes rendus de Cicéron sur les Pellites, les gens des nuraghes couverts de peaux.

« Cela veut dire... explique-t-il, que, délivré de toute
affection, il est libre maintenant de frapper sans craindre
de représailles. »

Le préfet regarde son assistant. Ce sergent devenu
fou commence à lui créer des problèmes avec Rome.
Mais la question de l'ordre public semble être maî-
trisée.

« Activons les milices », ordonne-t-il.

1926 est une liste de cadavres. L'année de sécheresse
porte avec elle la lutte pour survivre, ce qui veut dire
tuer avant d'être tué. Qui n'a pas été prévoyant, qui n'a
pas entassé de vivres, sent pendant l'année 1926 la faim
qui frappe.

La mise à prix sur Stocchino est montée à cent cinquante mille lires, plus élevée que celle, très élevée,
du nain Santino Succu qui est de cent mille. La faim
rend téméraire. Les frères Dui, Cosma et Damiano, des
jumeaux, cela va sans dire, ayant l'intention de traiter

avec Stocchino, l'attirent dans un piège auquel il échappe grâce à une charrette qui l'abrite. Le tigre immortel ne massacre les jumeaux que trois semaines plus tard. Avant de les tuer, à la question de savoir pourquoi ils lui en voulaient, Stocchino s'entend répondre que la récompense les aurait sauvés de la banqueroute. Et alors, la mort des jumeaux devient comme un théâtre de la mort. Les membres arrachés du buste des deux jeunes hommes sont éparpillés partout dans le village. Personne n'ose les recueillir. Sur la main de l'un des deux, un billet :

> *En paiement de ce sang que je m'ai versé par votre main je vous condamne à une mort terrible.*
> *Je signe et suis toujours Stocchino Samuele.*

Puis encore, le cordonnier qui se pend pour ne pas mourir assassiné et les milices fascistes dupées. Puis encore, le crime Marcialis que Stocchino revendique bien qu'il ait été disculpé. Une boucherie.

Mais lorsque, au début de 1927, Nuoro devient chef-lieu de province, quand Ottavio Dinale, le premier préfet de la Sardaigne intérieure, s'installe dans son petit hôtel fraîchement construit, quand Grazia Deledda devient l'écrivain universel, mais reste Cassandre dans sa patrie, alors les choses doivent changer : Mussolini en personne a promis que le Fascisme écrira le mot fin dans l'histoire du brigandage en Sardaigne... Au théâtre on répond donc avec le théâtre : deux cent cinquante mille lires à qui livrera Stocchino Samuele d'Arzana mort ou vif.

Cinquième partie
... grande satisfaction et très vif éloge

> « Et tout d'un coup je suis devant un large vide et je vois deux hommes qui se battent en se roulant par terre. »
>
> J. GIONO, *Deux Cavaliers de l'orage*.

Doublure

« Je veux, en tant que Préfet et en tant que Fasciste, par la responsabilité de ma fonction et de ma mission, pour l'amour de Votre terre, faire sortir des antres ténébreux les forces maléfiques du crime, pour les détruire ; je veux qu'autour du crime ne se forme plus la légende impudente d'un héroïsme pervers ; je veux que soit supprimée toute forme d'aide active et passive, greffée sur la triste solidarité qui déforma ou détruisit tout sens moral élémentaire. Un héroïsme doit triompher, le nôtre, du Préfet au Carabinier, du Milicien au Citoyen ; allons vers l'épilogue... »

(Ottavio Dinale, Premier Préfet de Nuoro Chef-lieu, Manifeste aux populations de la Province, 10 juillet 1927.)

I.

(Où l'on raconte un départ soudain)

Sauvé par miracle. Sauvé par miracle. Sainte Mère. Vierge de Dieu. Bienheureuses toutes les âmes du Purgatoire.

Il se plia en deux, avec ses deux mains agrippées aux genoux, pour respirer. Pendant la course il avait même réussi à penser à une histoire à raconter au cas où on le découvrirait. Une histoire à la manière du cinéma : « Gardons notre calme, ne nous laissons pas aveugler par les apparences, aurait-il dit, l'honneur de *donna* Isabella, comtesse et épouse enfant, est intact : j'avais promis de lui donner des leçons d'escrime et, sur mon honneur, j'ai juré de garder le secret... » Elle confirmerait devant son vieux mari sur le visage duquel la rage disparaîtrait, laissant apparaître la figure du doute.

Une femme qui voulait apprendre les rudiments de l'escrime... Un mauvais film, sans considérer qu'on n'avait jamais vu l'ombre du doute se dessiner sur le visage obtus de mâtin du comte Olivieri.

Saverio Políto, dans la fleur de sa virilité, de son intempérance, s'était isolé avec une femme mariée... Et

222

mariée comme il faut, rien de moins qu'une comtesse, et comtesse Olivieri Torrependente. Femme enfant de la carpette du Duce, comme on appelait le comte dans les couloirs.

En courant vers l'orangeraie Saverio acheva de boutonner sa chemise. Le temps avait volé dans les bras de *donna* Isabella mais l'oreille était restée vigilante. Un instant, un seul instant de retard et le comte en personne les aurait pris sur le fait.

Saverio Políto rit, en s'apprêtant à parcourir le dernier bout de champ derrière l'oratoire de sainte Brigitte où le mur d'enceinte était arrangé de telle sorte *qu'il est tout entier une porte*, comme avait dit *donna* Isabella, avec l'air de qui a laissé échapper involontairement cette information.

Un peu plus loin, à l'abri, garanti par le silence de fermiers muets de ce mutisme que seul le tintement des pièces de monnaie sait provoquer, il rejoindrait son automobile.

Il frappa trois fois à la porte de la ferme, puis deux fois, puis une dernière. La femme courut lui ouvrir en gardant la tête baissée.

«Du vin!» ordonna Saverio, posant son chapeau sur un coffre. La femme courut vers le pichet.

«Nous ne vous attendions pas si tôt, Excellence, s'excusa la femme. Rino est parti préparer la voiture.»

Saverio tendit le bras en offrant la tasse pour avoir encore du vin. Rino entra dans la cuisine par une petite porte, il était en sueur et tenait son chapeau à la main. «Tout est prêt, Excellence, murmura-t-il avec déférence.

– Bien», dit Saverio en reprenant son chapeau. Au

moment de mettre ses gants, il fit tomber six pièces de monnaie sur la table.

La femme s'élança pour les récupérer, comme si elles perdaient de leur valeur si on les laissait trop longtemps sur la table en bois. « Toujours à votre disposition, Excellence, toujours à votre disposition », réagit-elle en constatant que le don avait été plus élevé que prévu, plus élevé que la dernière fois.

Mais Saverio n'entendait pas les bénédictions ou les remerciements : il ne trouvait plus son gant gauche. Avec des yeux inquiets il fit le tour du sol grossier de la pièce. Le gant n'y était pas. L'homme et la femme le regardaient, n'osant pas demander ce qu'il se passait.

« Mon gant, dit-il soudain, d'un ton de voix qui avait perdu toute son assurance d'avant. Je dois revenir en arrière... » continua-t-il en se parlant à lui-même.

Il reparcourut le bout de chemin qui l'avait amené jusqu'à la ferme avec le regard collé par terre. Il se trouva face à la brèche dans le mur d'enceinte de la villa de campagne du comte Olivieri. Il traversa l'orangeraie jusqu'à la serre. Il enjamba la pergola étouffée par le lierre et rejoignit le balcon de la chambre de sa maîtresse...

Le matin suivant Ninetta entra dans la chambre. Avec une légère pression de la main sur l'épaule elle le rappela à la vie.

« Votre père », murmura-t-elle.

Saverio ouvrit les yeux. « Quelle heure est-il ? demanda-t-il surpris.

– Il est tard. Votre père vous a demandé, il veut vous

voir tout de suite, précisa-t-elle en ouvrant les rideaux pour faire entrer la lumière.

– Le temps de me préparer », dit Saverio en s'asseyant sur le lit.

La vieille femme embrassa le crucifix qu'elle gardait accroché à son cou. « Ce n'est pas une bonne journée, aujourd'hui, se plaignit-elle dans un sanglot. Il y a tellement de confusion », annonça-t-elle en disparaissant dans la pièce à côté. Elle revint quelques minutes plus tard avec une bassine d'eau fumante et l'avant-bras encombré de linge blanc.

Saverio s'était mis debout, complètement nu.

Ninetta posa la bassine par terre et s'agenouilla pour y plonger un linge. Avec des mouvements rapides et délicats elle parcourut les jambes de l'homme avec le linge mouillé, puis se leva pour arriver aux aisselles, au cou, au visage ; elle tourna autour de lui pour passer sur les mollets, les fesses et le dos.

Saverio resta debout, les yeux encore à demi fermés, jouissant de la tiédeur de cette humidité sur son corps.

La femme poursuivait son opération avec un crescendo de méticulosité. « Tu es beau, mon ange, tu es beau, murmurait-elle de temps à autre. Il est beau, mon enfant… »

Saverio arqua la nuque en serrant les paupières et lui saisissant une main il l'obligea à s'arrêter sur son bas-ventre.

« Te voilà, enfin ! éclata le général Augusto Políto.

– Le temps de me préparer, se justifia Saverio. Vous avez besoin de me parler ? »

Le général fit un geste d'impatience en agitant la main pour l'inviter à s'asseoir. « Pour quelle raison t'aurais-je convoqué, sinon ? ! J'ai quelque chose à te dire, quelque chose qui ne va pas te plaire : dans une semaine tu vas partir pour la Sardaigne !

– Dans une semaine ? La Sardaigne ? dit Saverio en écho.

– Tu as très bien compris ! J'ai obtenu du comte Olivieri une mission pour toi. Tu as été nommé commissaire spécial du Duce chargé de la sécurité en Barbagia. Il faut des jeunes gens ayant un rang là-bas. Le Duce en personne a déjà exprimé un avis positif ; tu prendras tes ordres directement de Rome...

– Mais comme ça, sans préavis...

– C'est une mission très délicate... La situation est telle... Tu arriveras en Barbagia incognito. »

Saverio s'efforça de rester calme.

« À quelle situation faites-vous allusion ? »

Le général Políto soupira longuement. Il se leva et alla à la fenêtre.

« Tu es mon fils, je n'userai pas de périphrases avec toi. La paix qui avait été stipulée en son temps avec la délinquance locale en Barbagia a été rompue, les accords avec les délinquants, auxquels je me suis toujours opposé, n'ont pas donné les résultats espérés... » dit-il à un moment donné sans le regarder.

À ces mots, Saverio n'eut aucune réaction apparente. « Et alors ?

– Et alors le Duce s'est engagé personnellement en affirmant que la Sardaigne est un territoire totalement assaini. Il y a un problème et c'est un gros problème... »

Saverio Políto serra les lèvres dans un mouvement d'orgueil. « Et qu'est-ce que j'ai à y voir, moi ? dit-il sèchement.

– Tu le connais. »

Saverio fixa son père.

« Le sergent Stocchino Samuele », dit le général Políto en martelant ses mots.

Saverio essaya immédiatement de donner un visage à ce nom. « Un animal, dit-il.

– Ta tâche est de dénicher cet animal, confirma le général sans perdre son sang-froid. Tu n'auras aucune restriction.

– Si les choses sont dans ces termes, je partirai. Je peux m'en aller maintenant ?

– Une chose encore, un dernier conseil : mène une vie retirée pendant cette semaine, moins on te verra mieux cela vaudra !

– Je suis mis aux arrêts chez moi ? »

Le général hocha la tête sans parvenir à retenir un grand rire… « C'est un bon conseil du comte Olivieri, auquel je m'associe chaleureusement… »

II.
(Où l'on raconte une arrivée mélancolique...
et quelques intrigues locales)

Pour Saverio Políto, la Sardaigne a l'air d'une baleine noire immobile envahie par les algues, c'est la carapace vaseuse d'une tortue de mer, elle est noire, plus noire que l'eau noire. Pendant seize heures le bateau a glissé sur une étendue gélatineuse et verdâtre. Et à présent, la voilà, l'île.

Depuis la guerre il ne supporte plus les endroits fermés, et il lui semblait impossible que cette lente traversée pût conduire à un lieu quelconque. Aussi a-t-il passé une bonne partie de ces seize heures sur le pont à regarder avec quelle peine la coque fendait cette mer à demi solide.

Il n'a jamais vu un hiver aussi tragique, lui, pas même au front, il n'a jamais vu une lumière aussi incongrue.

La lune basse, pleine d'elle-même, lui imprimait, depuis la pommette jusqu'à la mâchoire mal rasée, le coin noir de l'ombre du nez. Et il se laissait faire. Ce nez, et sa mâchoire, faisaient la beauté de son visage, car ses yeux, par exemple, petits et rapprochés, se tenaient tapis dans ses orbites profondes perpétuellement assombries par les crêtes rocheuses des arcades sourcilières. Et sa bouche était un fil tellement mince que ses lèvres jointes lui marquaient, à deux doigts au moins des narines, une fissure horizontale esquissée au crayon.

On aurait cru naviguer sur un fleuve d'Amazonie, tel que l'avaient décrit les téméraires qui avaient affronté l'inconnu : un air vert de feuillages qui poussent tellement en hauteur qu'ils font écran au ciel. Il est difficile de respirer parce que dans la mer d'eau douce, de même que dans celle-ci, d'eau salée, il n'y a pas d'air. Son cœur battait dans sa poitrine au point qu'il pouvait l'entendre dans ses oreilles. Parfois, au cours de son enfance, il s'était senti comme ça.

Il y a une odeur terrible dans le port. Une odeur de mort et de bétail, de naphte et de charbon. La mer n'a jamais semblé si hostile à Saverio Políto, et la terre ne lui semble pas meilleure. Pendant tout le cours du voyage vers l'intérieur le soleil a décidé de rester couvert. Mais le ciel n'est pas gris, plutôt vert, comme de l'huile qui vient d'être pressée, et jaune, par moments. Les nuages, là, ne passent pas. Dans la couleur totale, asthmatique de ce ciel, les oiseaux ne volent même pas. Sur l'île du vent pas un souffle ne se lève, tout est enfermé dans une enveloppe membraneuse.

Pour son voyage en Barbagia on lui a affecté une camionnette avec un chauffeur local qui a appris à conduire sur le Karst, Antonello Cappai de Buddusò.

Antonello Cappai de Buddusò était la démonstration incarnée du caractère discutable du lieu commun sur les

Sardes taciturnes. Ce mètre cinquante de chauffeur, la même taille, identique, que sa majesté, pour être clair, commença à parler avant de monter dans la camionnette. On lui avait simplement dit qu'il devait conduire un représentant du continent à Arzana et cette affaire lui semblait excentrique : qu'est-ce que peut bien aller faire à Arzana un représentant du continent ? Et représentant de quoi si c'était permis de poser la question ? Et où du continent, si c'était permis de poser la question ? Lui, le continent, il y était allé quand il avait été appelé avec la classe 97. Et il a été tout près d'aboutir à Avezzano plutôt que sur le front, connaissait-il Avezzano ? Un sale tremblement de terre, là-bas, vraiment dur… En somme, il allait aboutir à Avezzano pour aider les sinistrés, puis à la dernière seconde un lieutenant demande si entrer dans les corps motorisés intéresse quelqu'un : Antonello Cappai de Buddusò n'a pas la moindre idée de ce que sont les corps motorisés, mais il lève la main, il est comme ça, lui, d'abord il fait, ensuite il pense. Et ils le choisissent en effet et ils lui disent de quitter le groupe de ceux qui sont destinés à Avezzano pour rejoindre le groupe de ceux qui sont destinés aux corps motorisés, à Vicence. Il s'était retrouvé à Monte Berico, pour être plus précis à Villa Clementi, il connaissait ? Et là il avait fait l'École supérieure de conduite pour l'état-major, où on lui avait dit qu'il semblait être fait exprès pour conduire, si bien qu'au bout de deux mois il promenait en voiture à travers la Vénétie le général Pecori Giraldi. Ce qui a un côté comique, car en somme qu'aurait pu transporter d'autre un Sarde sinon un général Pécore… Et de rire, il avait compris ? Il avait fait la guerre ?

Políto ferma les yeux, mais comme il lui semblait que les vibrations de la camionnette augmentaient, il les rouvrit. Il demanda où ils se trouvaient, la camionnette maintenant gravissait péniblement une légère montée. Mont'Albo, répondit l'autre. Puis, en montrant la mer, il prononça des mots inconnus : *Sa Preda Bianca*, la Pierre-Blanche, *Contone malu*, la Paroi-Abrupte, Isterria... Et encore, en remontant vers la montagne : Marreri, Sa e Sulis... et Mamoiada et d'autres encore... C'était vraiment un bel endroit que celui où il allait, l'Ogliastra, mais savait-il qu'en Ogliastra un bandit terrible faisait ses quatre volontés ? Stocchino Samuele ! Déjà rien que le nom était terrible, hein ? Il connaît ? Mais quelle question, quel idiot il est... Que peut-on savoir sur le continent, hein, de ce trou ? En tout cas ce n'est pas vrai ce qu'on raconte, que Stocchino tue pour tuer, et il peut, lui, Políto, se laisser conduire, il fait cette route depuis des années et jamais un problème, Stocchino sait bien à qui il en veut, il le sait bien...

Le ciel maintenant est devenu comme une toile grossière, presque gris-vert. Políto a vraiment chaud, mais il ne fait pas chaud. C'est simplement que les mots et le souffle ont rempli l'habitacle et l'ont saturé. Ou bien alors c'est simplement cette suite de petits tournants qui montent et que le fantassin chauffeur Cappai aborde avec désinvolture, mais sans délicatesse. Et entre-temps il parle... Mais il sait ce qu'il a osé faire, une fois, ce fou de Stocchino ? Il s'est fait engager par un propriétaire comme travailleur aux pièces, mais habillé en femme, eh oui... Avec un foulard et la jupe et la figure toute lisse vraiment comme une fille... On dit qu'à le voir habillé ainsi personne n'aurait reconnu un garçon et même un sous-officier décoré, pas un de ces garçons qui croient être des femmes hein, c'était clair ? Mais en tout cas, quand on a su qu'il se présentait pour du travail *a zorronéa*... ce qui veut dire « à la journée », par peur des représailles tous les patrons engageaient sans discuter les travailleuses masculines, *màscrine*, comme on dit chez nous... Et la fois où il avait été arrêté habillé en gitan dans les rues de Nuoro et renvoyé ensuite de la ville avec un coup de pied au cul par un brigadier ? Eh bien, ce brigadier-là, la nuit, chez lui, a trouvé un message écrit dans la grosse ceinture de ses fontes, simplement une signature : Stocchino Samuele... Pour ne pas parler de l'autre fois encore où il a rencontré sa fiancée à l'église habillé en religieuse, ou bien quand il a confessé son ennemi juré en se substituant au prêtre... Eh. Ce Stocchino il est *brulleri*, c'est un joyeux luron...

Saverio comprend le mot « *brulleri* », mais il le comprend à sa manière. Il a devant lui le visage plein de mélancolie du caporal Stocchino au moment où il va frapper : ce regard presque serein, presque encourageant, porte le signe d'une allégresse hallucinée. *Brulleri*, vraiment, Stocchino Samuele, deux guerres derrière lui. Eh oui.

De toute façon, si Dieu le veut, on arrive à Arzana. Qui n'est certes pas le centre du monde, mais présente au moins un semblant de civilisation. Il paraît incroyable que, au milieu de toute cette végétation et de cette âpreté, il y ait eu, dans des temps très reculés, un groupe d'êtres humains qui ait décidé de s'y installer. Il n'y a pas de fleuve, ici, et pour trouver de la terre cultivable il faut descendre jusqu'à la vallée ou bien arracher de l'espace à la roche vive. La mer est très proche mais l'air n'est pas marin. L'air, donc, Saverio Políto le respire pleinement alors qu'il se dégourdit les jambes.

Le fantassin Cappai demande maintenant s'il a déjà pensé à un endroit où habiter, et il dit ensuite que des cousins éloignés connaissent une dame qui loue des chambres, une veuve, une grande maison bien tenue...

III.

(Où l'on raconte que Nuoro, le chef-lieu,
donne de la morgue à ses habitants...
ainsi qu'une autre histoire de chaussures)

Yo la quería con toda el alma.
« Sans jamais détacher les pieds de terre. Hé, mon maréchal, vous les détachez.
Es tan grande el dolor, que no puedo llorar!
– Doucement et ne regardez pas vos pieds.
– Ah, c'est diabolique. »
Dónde estás corazón, non oigo el tu palpitar...
Le maréchal Palmas se libéra de l'étreinte du caporal-chef Butto. Hipólito Lázaro continuait à chanter comme s'il soufflait dans un roseau. Palmas, à vrai dire, n'avait jamais aimé ce Lázaro, il prenait plutôt le parti de Caruso. Qui était une eau de source. Butto le regarda.
« Moi, ce Lázaro, je ne l'aime pas du tout, dit le maréchal.
– Il y faut de la patience, répondit Butto.
– Peut-être avec une belle femme » – le supérieur hocha la tête.
Butto serra les lèvres. « Avec tout mon respect, dit-il, mais s'il y avait eu une belle femme... il n'y aurait pas eu besoin d'apprendre le tango, n'est-ce pas? Et puis, vous ne suivez pas: un, deux, trois, quatre... »

234

dit le caporal-chef en commençant à danser tout seul.

Dans le couloir de ce qui était autrefois un couvent, désormais une caserne du Corps des Carabiniers d'Arzana, la voix de Lázaro semblait vraiment celle d'un ressuscité qui attend l'ouverture de son tombeau.

La quería yo tanto y se fue para no retornar.

Mais tout: le bruissement des pas, la voix piaillante du vieux ténor, le ton de baryton du maréchal, tout, tout résonnait en s'élevant vers le plafond et roulait sur les voûtes croisées et prétentieuses. Prétentieuses et imprécises de chaux grasse, car si l'intention était bonne, le temps avait manqué pour les finitions dans le vieux couvent désormais caserne.

Ainsi, ventre contre ventre, le maréchal et le caporal bougeaient en mesure.

«Nous n'avons pas de nouvelles, pas officielles du moins, dit le caporal, reprenant un discours interrompu.

– Ce type du continent qui habite chez la veuve Cocco?

– Graines et semences, synthétisa le caporal. Comme ça vous perdez le *tempo*, mon maréchal, tout à l'heure c'était bien...»

Le tango rebondissait sur le blanc aveuglant des voûtes. Ce tango faisait à Palmas l'effet d'une femme dont il faut se méfier, mais il avançait quand même, cherchant à garder le pas imposé par Butto.

«S'ils nous envoient un commissaire spécial de Rome, il faut que je le sache», murmura le maréchal.

Le caporal prit le temps qu'il fallait pour achever sa

figure. « Nous, sans doute, ils ne nous avertissent pas, mais à Nuoro ils leur disent sûrement.

– Eh, se troubla le maréchal, en perdant le rythme. Qu'est-ce qu'ils croient à Nuoro, que maintenant qu'ils sont devenus chef-lieu grâce à cette garce de Grazia Deledda, ils les informent depuis Rome ? »

Le caporal ne put s'empêcher de rire. « Avez-vous entendu le prix qu'elle a reçu, vous parlez d'une garce ! » commenta-t-il.

Le maréchal n'avait pas l'intention de se laisser distraire, il continuait à danser bien que le disque se fût arrêté depuis longtemps.

« Continuez comme ça », l'encouragea le caporal. Et il semblait que l'absence de musique était déterminante pour que le maréchal ne perde pas sa concentration.

« Non, je ne sais pas ce que c'est comme prix, constata-t-il soudainement. Qu'est-ce que c'est comme prix ? demanda-t-il explicitement en voyant que le caporal ne réagissait pas.

– Un gros truc, dit l'autre. Il paraît qu'on en parle partout dans le monde.

– Ça veut dire alors que nous, nous n'y sommes pas dans le monde, conclut le maréchal. Parce que moi, je n'en ai jamais entendu parler.

– Que voulez-vous qu'on nous dise à nous, mon maréchal, et maintenant on ne va plus leur fermer leur gueule, ces morgueux de gens de Nuoro, comme si la morgue qu'ils avaient avant ne leur suffisait pas... S'ils envoient de Rome le commissaire spécial, ils doivent avoir de bonnes raisons, après ce qui est arrivé à Seui en avril dernier... »

On raconte que Stocchino avait besoin d'une nouvelle paire de chaussures. Mais il ne pouvait pas mettre le pied dans le village parce qu'il n'avait pas voulu chercher un accord avec les gros fascistes locaux. D'autres qui étaient en fuite l'avaient fait et pouvaient se permettre de dormir avec leur femme tout en *bandiando*, tout en étant bannis.

Ce qu'ils n'avaient pas compris du tigre, c'est qu'il était en train de batailler avec lui-même. On ne pouvait pas dire à Samuele qu'un pacte avec le gouvernement était intéressant pour tout le monde. La seule chose intéressante pour lui aurait été de pacifier la rage qu'il sentait en lui. Mais cela ne peut pas être expliqué. Aussi, sans savoir même comment, il était devenu l'ennemi public. Ou plutôt : on savait très bien « comment », c'était parce que les personnes qu'il menaçait s'étaient cachées derrière la chemise noire et derrière la chemise noire s'était cachée toute l'ordure possible, comme la poussière sous le tapis.

Pour Rome, Stocchino était exactement comme le Nobel à Grazia Deledda pour le maréchal Palmas : moins que rien. Mais il devenait quelque chose s'il devenait un symbole. Manai, Bardi et les autres se cachaient chez eux, mais ils avaient des amis puissants à Cagliari, qui avaient des amis puissants à Rome. Et alors, quand la réputation d'un nom se fait, quand il est prononcé, cela signifie qu'il commence à exister. Et si ce nom est prononcé dans le bureau de Benito Mussolini et par surcroît en présence de Benito Mussolini, cela veut dire qu'on est passé de rien à tout. Et un sergent, qui plus est, un soldat démobilisé de la Grande Guerre décoré, qui plus est.

Et alors, Stocchino connaît à Seui un cordonnier qui est une personne de confiance. Comme il fait d'habitude, il le réveille en pleine nuit, et l'autre se lève immédiatement pour lui prendre la forme et la mesure. Il a des pieds blancs délicats et minces, atrocement propres. Et glacés. Avant de déranger le cordonnier, Samuele est allé à la source du village pour se laver et changer ses chaussettes. Le cordonnier l'entend tousser pendant qu'il touche ses pieds menus, cireux, de petit mort. Vu à la flamme de la chandelle, il a l'aspect d'un enfant, avec cette petite barbe clairsemée qui ne veut vraiment pas pousser. Il a le regard concentré et triste de quelqu'un qui s'efforce de retenir ses pleurs. Il a les yeux cerclés de rouge comme quelqu'un rongé par une fièvre continue. Ainsi forme et mesure sont prises, et dans une semaine environ les *cusinzos*, les brodequins cloutés, seront prêts. Stocchino demande combien ça fait, le cordonnier répond : rien. Rien n'existe pas, dit Stocchino, si ça a un nom cela veut dire que c'est quelque chose, qu'il dise donc combien il lui doit pour son travail. Le cordonnier garde le regard baissé et dit qu'ils en reparleront la semaine suivante... En attendant il lui donne un bout de cuir à mettre à l'intérieur de son brodequin troué qui tiendra pendant une semaine, et l'eau au moins ne rentrera pas.

Mais Samuele n'a pas du tout aimé ce discours d'argent, et il n'a pas aimé que le cordonnier ait toujours gardé le regard baissé, un regard qui n'était pas de peur, il a appris à sentir l'odeur de la peur sur les personnes, non, celui du cordonnier n'était pas *ne pas* regarder par peur, mais par honte. Aussi, entre le certain et l'incertain, Samuele s'arrête à quelques mètres de la maison du cordonnier, à peine cinq minutes passent et il le voit sortir. Dans la nuit profondément silencieuse il se rend au *tzilleri*, à la gargote. Pour Stocchino un rien suffit pour que cela ressemble à quelque chose, aussi prend-il une casaque de mouton sans manches sur une charrette juste à l'extérieur de la gargote, il s'encapuchonne et il entre. Maintenant il respire derrière le cordonnier, mais ce dernier est occupé à parler avec un jeune homme en chemise noire. Samuele, qui pourrait entendre ce qu'ils se disent, fait comme s'il n'entendait rien parce que ces choses lui font mal. Aussi sort-il de la gargote accablé d'une mélancolie terrible. Il a une petite blouse de Mariangela, il la porte à son nez pour la sentir dans ses poumons.

La semaine d'après personne ne va retirer les chaussures. Deux carabiniers et deux miliciens en chemise noire sont postés aux quatre coins de la cour de la maison. On entend un bruit, tous se tiennent sur le qui-vive, chargent leurs fusils, mais ce n'est qu'un enfant. L'enfant entre dans l'échoppe et sans rien dire il remet au cordonnier un billet. Il se fait aussi donner deux *sisini*, deux sous pour la commission comme le lui a dit l'homme qui lui a confié la tâche de porter ce message. Lorsque l'enfant s'en va, le cordonnier reste seul avec son bout de papier, il le regarde sans l'ouvrir, il imagine bien qu'il porte sa condamnation à mort signée et il commence à *tunchiare*, à geindre comme une bête qui va mourir. La plainte du cordonnier devient de plus en plus terrible, à l'extérieur carabiniers et chemises noires comprennent que quelque chose est en train de se passer, mais ils ont un instant d'hésitation parce qu'il est vraiment impossible que quelqu'un d'autre que l'enfant soit passé sans être vu. Quand ils se rencontrent tous les quatre au milieu de la cour, la plainte du cordonnier s'éteint. Aussi ils entrent dans l'échoppe et le trouvent pendu, les nerfs de ses jambes le font encore bondir comme si c'était une marionnette. Sur le bout de papier, resté à ses pieds, il y a écrit d'une calligraphie pointue : *Tu le fais toi ou je le fais moi ?*

« Et de toute façon, je vais te dire moi à quoi sert le commissaire spécial », dit le maréchal Palmas encore perdu dans ses pensées.

Le caporal Butto se détacha de lui comme si cette position de leçon de danse rendait n'importe quelle confidence plus scandaleuse.

« À quoi il sert ? demanda-t-il à un certain moment, voyant que le maréchal ne se décidait pas à conclure.

– Il sert à ramener la mise à prix à Rome, d'abord ils sont pleins de morgue, ensuite ils regrettent...

– Le fait est, mon maréchal, avec tout mon respect, que sur Stocchino ils peuvent placer autant de mises à prix qu'ils veulent, personne n'a le courage de le dénoncer. »

Le maréchal approuva, et comment ne pas approuver une évidence qui durait depuis dix ans...

En somme, cela faisait dix ans que Samuele Stocchino réussissait à échapper à quiconque cherchait à le capturer. Et même une mise à prix terrible, la plus élevée jamais proposée pour un bandit, n'avait pas aidé. La légende d'immortalité s'était transformée en certitude absolue. Au moins trois fois on l'avait donné pour mort et il était toujours réapparu. Toujours. Les propriétaires locaux avaient tout essayé, mais le résultat avait été que certains d'entre eux avaient dû vendre leurs biens, d'autres se barricader chez eux.

Aussi l'arrivée soudaine du représentant de semences ne passa-t-elle pas inaperçue.

Le gamin le précédait de deux ou trois pas. Il entra dans la rue centrale d'une foulée assurée en traversant la cour Bainzu Pais. Il pénétra dans une toile d'araignée de ruelles jusqu'à l'église paroissiale Saint-Jean-Baptiste. Saverio Políto le suivait sans parler. Il eût été inutile de demander des informations au domestique des Manai. Se retournant à plusieurs reprises, le garçon vérifiait que l'homme du continent le suivait.

Dans son message, le préfet Dinale avait exigé que le chemin fût parcouru à pied. La rencontre devait rester secrète et on ne pouvait pas risquer que quelqu'un vît la monture de Políto aux alentours de l'oratoire des Nobles. Aussi avait-il obéi.

Une fois arrivé sur le parvis de l'église, le garçon indiqua une ruelle sur le côté droit de l'escalier. «Ils vous attendent», dit-il d'une petite voix timide en se dirigeant vers le côté opposé à celui qu'il avait indiqué. Le portail d'entrée de la chapelle était entrebâillé. À l'intérieur la visibilité était à peine suffisante pour ne pas tomber. Saverio Políto fit quelques pas dans la petite nef centrale. Il sentit l'odeur agressive des chandelles et de l'encens et, derrière lui, il entendit le claquement sec du portail. Il se retourna d'un geste automatique pour voir qui était entré après lui. Il aperçut la silhouette d'un religieux corpulent, sans le voir vraiment, il pouvait entendre sa respiration essoufflée. « Vous êtes arrivé », haleta le vieux prêtre Marci en allant à sa rencontre. En mettant sa main molle sur l'épaule de Políto, il le dirigea vers un petit autel latéral.

Le préfet Ottavio Dinale était enveloppé dans un manteau de drap lourd. Maintenant que les yeux de Políto s'étaient habitués à l'obscurité, il pouvait percevoir deux autres silhouettes en plus de celle du préfet. La première était celle d'un vieillard dont les cheveux blancs brillaient, éclairés par les cierges. La seconde était celle d'un gros homme avec le visage à moitié caché par une *berritta*, par une casquette.

Le préfet l'invita à s'asseoir. « Je vous prie d'excuser la convocation sans préavis et dans un lieu si inhabituel, commença-t-il. Mais il est absolument nécessaire que notre rencontre reste secrète. »

Saverio Políto hocha la tête comme pour dire que ce genre de préambule, en ce qui le concernait, était inutile. Le préfet encaissa le message avec un sourire.

« Don Giacomo Manai », dit-il en indiquant le vieillard. Saverio Políto fit un signe imperceptible. Le vieillard le lui rendit en agitant les mains avec l'impatience brusque de quelqu'un qui a l'habitude de commander.

« Don Giovanni Bardi, continua le préfet. Ils voulaient vous connaître, ajouta-t-il avec la chaleur avec laquelle on parle à un jeune garçon.

– Et vous faire une proposition », coupa le vieillard. Au-dessus de sa tête s'élevait un retable d'une belle facture. Une Vierge au Rosaire plongée dans une vase d'une couleur troublée par la fumée des cierges : l'incarnat de la Vierge aussi semblait avoir pris le même aspect cireux et jaunâtre.

La barbe chenue de don Giacomo Manai suivait les mouvements de son menton. « Il y a des questions très délicates que nous avons décidé de vous soumettre », dit-il en prenant son temps pour chercher les formules adéquates.

Don Giovanni Bardi acquiesçait avec déférence. Il était beaucoup plus jeune que l'autre ; sa masse, proche du quintal, le faisait transpirer copieusement sous le vêtement traditionnel.

« Il s'agit de votre mission », annonça à la fin le préfet Dinale, ne trouvant rien de mieux.

Saverio Políto se tourna pour porter son regard sur lui.

« Nous vivons aux frontières de l'empire, mais nous aussi, nous avons nos informateurs dans la capitale, continua le préfet en donnant à ce dernier mot un accent qui faisait ressortir son importance.

– Alors, vous en savez plus que moi, dit Políto sans se troubler.

– Oui, oui, commenta le préfet sceptique. Mais sans vouloir vous vexer, nous n'avons pas d'anneau dans le nez.

– Vous devez comprendre quelle confiance et quel honneur... intervint don Giovanni Bardi en profitant d'une pause de réflexion du préfet.

– Jeune homme, avez-vous bien compris ? l'interrompit avec brusquerie don Giacomo Manai. Nous sommes en train de parler de cet animal de Samuele Stocchino.

– Messieurs... » dit Saverio Políto en prenant congé.

Le préfet Dinale écarquilla les yeux. « Du calme, du calme. Écoutez, je vous prie. » Saverio Políto se rassit. « Nous savons qui vous êtes, d'où vous venez et qui vous a envoyé », martela-t-il. Don Giovanni Bardi acquiesça avec sa grosse tête.

« Alors, vous en savez plus que moi, réitéra Saverio Políto. Et maintenant, si vous permettez, si vous permettez tous... – Et il fit encore le geste de prendre congé.

– Nous savons où il se trouve, annonça Giacomo Manai.

– Allez le chercher, alors. »

Le préfet Dinale confirma en reniflant : « C'était ça l'idée...

– Vous le connaissez bien, intervint Bardi.

– Moi, je vends des semences, coupa Políto.

– C'est évident, c'est évident, accorda le préfet. Disons que cette nouvelle activité ne s'oppose pas au fait que nous puissions nous aider réciproquement. »

Le père Marci prit la parole : « Beaucoup de gens vous remercieraient dans le village si vous les libériez.

– Dans le village ? ironisa Bardi.

– On vous fera un monument à Nuoro aussi, renchérit don Giacomo Manai. Vous voyez que le destin m'a donné une de ces vieillesses têtues ? Savez-vous quel âge j'ai ? » demanda-t-il.

Políto fit signe que non.

« Quatre-vingt-dix, reprit le vieillard. Quatre-vingt-
dix, parce que la condition est que ces yeux ne se ferment pas tant qu'ils ne voient pas Samuele Stocchino
sous terre.

– Qu'est-ce que vous voulez de moi ? » demanda alors
Políto.

Dinale attendit quelques secondes avant de répondre.
L'air, à l'intérieur de la chapelle, était saturé du gras
des cierges, l'image qui brillait vaguement semblait
le contenu d'un rêve. Bardi arrangea sa casquette en
l'abaissant encore plus sur son front.

« Vous avez indubitablement quelque chose qui
nous manque », martela le préfet. Políto attendit qu'il
poursuive. Et en effet : « Vous avez eu l'occasion de
connaître Stocchino, et nous avons nos raisons de croire
qu'il a confiance en vous…

– Un appât, compléta Manai. Faites votre prix, vous
serez payé.

– Un ver embroché, commenta presque en lui-même
Políto. Qui se tortille devant le poisson. »

Un silence terrible tomba dans l'espace restreint, si
bien que la petite voûte en berceau le restitua intact.
Silence.

Silence.

Políto observa ses interlocuteurs : Manai portait la
chemise noire, de même que Dinale. Bardi arborait l'in-
signe des faisceaux des licteurs.

« Vous aviez garanti, dit-il à un certain moment. Vous
aviez garanti. À Rome, ils ne sont pas contents de vous. »
Tous comprirent que sa voix avait changé. Tous com-

prirent que le moment était arrivé où au bal masqué il faut découvrir son visage.

Dinale s'avança. «Excellence, murmura-t-il. Vous voyez vous aussi que c'est plus difficile que ce que l'on croit, ce n'est pas la volonté qui manque, les dispositions de Rome ne sont pas exhaustives.»

Bardi s'apprêtait à parler, Políto le foudroya du regard.

«Les dispositions ont été sages, mais je ne voudrais pas rendre compte à Rome de ce qu'elles ont été invalidées par les personnes préposées à leur exécution.»

Dinale écarquilla les yeux comme si une obscurité totale était tombée dans la pièce.

«Vous n'êtes pas en face d'un homme ordinaire, précisa Políto. Votre haine réciproque ne fait pas survivre que vous, dit-il en s'adressant à Manai. Mais lui aussi.

– Vous parlez bien, vous. Mais moi, je ne peux pas sortir de chez moi et les gens de ma famille non plus et mon bétail n'est plus gardé et mes terres sont en train d'être dévorées par le chiendent et deux de mes fils ont été tués – pour la première fois, la voix de Giacomo Manai dénonça son âge.

– Il est clair que nous perdons du temps, dit Bardi en se levant non sans une certaine fatigue.

– Je préférerais que nous parlions en privé», proposa Políto à Dinale.

Dinale regarda autour de lui. «Y a-t-il des problèmes?» demanda Políto. Bardi ferma les yeux. Manai secoua la tête. Dinale fit un signe au père Marci pour qu'il s'éloigne du portail d'entrée de la chapelle. Le prêtre s'exécuta.

« Cela ne m'intéresse pas de savoir à qui, vous, vous devez rendre compte, je sais à qui je dois, moi, rendre compte, monsieur le préfet, martela Políto une fois à l'écart.

– Je comprends votre position, mais à Rome il faut qu'ils comprennent que sans l'appui des propriétaires locaux…

– Je vous remets Stocchino, mais la prime reste à Rome. »

Dinale se pétrifia dans une expression impénétrable.

« Je sais que vous auriez cherché un accord avec Stocchino s'il vous l'avait permis. » Dinale accusa le coup et tenta une réplique. Políto l'immobilisa du regard. « Le prestige du Gouvernement avant tout, et l'intérêt du Parti, monsieur le préfet.

– Eh bien : que le prestige du Gouvernement soit rétabli dans notre province pour la Patrie et dans l'intérêt du Parti.

– Je vois que nous nous sommes compris. Vous saurez où et comment. Et dites à vos amis que, dans cette affaire, ils ne gagneront rien… Rien, c'est compris ? »

Políto fit un mouvement pour sortir, Dinale le rappela : « Comment avez-vous l'intention d'avancer ?

– Avancer, justement, dit Políto. Écouter, me faire voir, et vendre des semences, je suis ici pour ça. Moi, je ne dois trouver personne, mais qui me veut me trouve. »

IV.

(Le chasseur)

Tous les matins sur cette terre d'exil, dans la petite chambre de séminariste de la pension de la veuve Cocco, reflété par un miroir taché, soutenu difficilement par le bras mince en fer du porte-cuvette, il avait vu son visage, qui était celui de l'empire futur. Et en se donnant de petites gifles presque affectueuses afin de préparer le tissu rugueux de sa peau pour le rasoir, il s'était dit que ces mâchoires, justement elles, faisaient sa force et imposaient le respect aux Pellites, les gens des nuraghes vêtus de peaux, aux gens de la Barbagia et aux paysans troglodytes. Mais elles suscitaient surtout de mauvaises pensées chez les femmes locales, aux culs de juments, qui se méfiaient depuis toujours du bel homme. En souriant dans leurs foulards, elles voulaient, du mâle, d'autres beautés : celle du caractère, celle de l'empreinte virile et, de façon inavouée, celle de la morgue, qu'elles appelaient *barrosía*. *Barra*, justement, morgue, dans leur idiome incompréhensible, la mâchoire. Comme celle du Duce, que le bon Dieu avait d'ailleurs pourvu aussi d'une incontestable beauté, beauté de divinité rocheuse, de mâle chaud et perplexe,

248

avec la bouderie de ses lèvres charnues, père généreux et productif, étalon de combat et de monte, seigneur ouvrier et paysan, seigneur de la guerre. Pensant à tout cela, et en le constatant, il sentait le prurit du réveil entre ses cuisses...

Tous les matins, donc, devant le miroir du lavabo de la veuve Cocco, Polito Saverio, le grand policier, l'homme auquel Mussolini en personne avait confié la garde de la Barbagia, rendant ses hommages à la sainte érection matinale, fauchait le chiendent noir de son visage et pensait à l'ennemi. Mais pour chacune de ces deux tâches, c'était la lutte opiniâtre de Sisyphe, car la barbe rembrunissait sa mâchoire juste quelques heures après avoir été vaincue; et l'ennemi, Stocchino Samuele, animal arzanois et en fuite, alors qu'il semblait être déjà pris, se muait en courant d'air. Et il se mettait en trois, en quatre, en cinq, car les informateurs stipendiés le signalaient en même temps à Ingurtosu et à Strisaili, à Santa Barbara et à Baunei; ou bien on disait qu'il était occupé à élever des autruches avec ce fou de Meloni, à nettoyer des *pinnetti*, des huttes en pierres et en roseaux à Monte Spada, à prier à l'église, à forniquer dans un bordel de Cagliari. Parce que Stocchino Samuele, imperturbable et cruel, *pregonato*, banni avec une mise à prix de deux cent cinquante mille lires, n'était nulle part et partout.

Pour débusquer le fauve, il avait été nécessaire de se faire fauve. Polito Saverio, le Mori de Sardaigne, comme on le murmurait au Viminal, avait toujours été un peu fauve. Depuis l'époque de l'orgie de Fiume, quand D'Annunzio, le Poète, l'avait placé en tête du cortège païen avec deux cornes de faune et la flûte de Pan.

Contre Samuele Stocchino, le tigre de l'Ogliastra, qui empêchait le Duce de dormir, il avait donc été nécessaire de revenir à l'état primordial, au fasciste primitif. Dans le creuset de l'humanité où il avait été expédié pour sa mission, il avait été nécessaire d'étaler tous les penchants les plus bas : c'est pour cette raison qu'il circulait, *solu che fera*, aussi seul qu'un fauve, avec la chemise ouverte même en hiver sur sa poitrine noire et grumeleuse.

Devant la gueule enflammée de la cheminée, la veuve Cocco grillait des châtaignes d'Aritzo. Saverio Políto avait observé ses fesses et ses hanches pendant quelques secondes avant de se faire remarquer. Puis il avait murmuré un bonsoir. La femme s'était retournée en le regardant comme si c'était un fantôme et elle s'était signée de peur. Elle dit qu'elle ne l'avait pas entendu rentrer. Puis elle avait laissé traîner son regard dans sa chemise ouverte et elle lui avait demandé s'il n'avait pas froid. Saverio Políto avait répondu que non, qu'il n'avait pas froid. Puis il était arrivé qu'elle fasse allusion à la malédiction de la solitude qui l'avait atteinte dans la fleur de l'âge. Et elle s'était informée de sa solitude à lui. Un peu plus tard, il s'était laissé prendre sur le petit lit de la chambre de séminariste, mais avec l'assurance contrôlée du mâle adulte résistant, alors qu'elle le mangeait avec l'exaspération d'une naufragée qui va se noyer. Vorace, incapable d'ordonner ses gestes, mais ne poursuivant que son besoin, elle avait guidé ses mains pour qu'il saisisse ses seins généreux, et il s'était laissé conduire en goûtant d'avance la douceur de l'après, quand la première fougue passe et laisse la place au rythme lent, quand le gourmet remplace l'affamé. Ainsi l'avait-il satisfaite en attendant que, épuisée, elle tombât sur lui. Et sur cet épuisement il chanta sa chanson. La veuve Cocco ne pouvait pas croire à son corps, pendant qu'elle savourait une suite infinie et l'implorait de continuer et de cesser, de cesser et de continuer. Le visage enfoncé dans le sternum hirsute elle flairait son odeur de tilleul et de citronnelle. Car à présent il était sur elle, inexorable et lent, le regard noyé dans les gouffres du visage, avec la bouche entrouverte en un sifflement de brigand, le corps noueux de Christ barbare, turgescent là où elle était molle... Il savait reconnaître le moment et il savait qu'elle aussi le reconnaîtrait. En effet, quand le moment fut venu, elle s'agrippa à ses reins, lui enfonçant ses ongles dans la chair, et elle fit kouik kouik kouik, comme la crécerelle...

Ils avaient ensuite mangé les châtaignes. Elle parlait parce qu'elle avait honte. Mais cette honte était plutôt un trophée qu'une défaite, puisqu'elle avait compté sur celle-ci depuis le jour où Políto s'était présenté chez elle. Eh, il n'y a rien à faire, la chair raisonne pour son compte. Elle raisonne avec le nez, et avec les yeux, puis avec les mains. Et le reste...

Et l'histoire de la marque sur la terre devant la maison, celle faite avec le pied par Felice Stocchino quand le tonnelier lui refusa l'eau pour boire. Une

251

lettre S qu'ils essayèrent inutilement d'effacer. Inutilement, parce qu'elle semblait avoir gangrené le terrain.
Si bien que, jour après jour, Gesuina Líndiri, la vieille
de la maison, la mère du tonnelier, à force de tour-
menter son fils tonnelier pour qu'il fasse quelque chose,
l'obligea à creuser un trou là où la lettre avait été marquée pour y planter un buisson de laurier. Mais rien à
faire : la plante mourut et, après elle, moururent toutes
les autres qu'ils s'obstinaient à planter. Si bien que la
marque apparut clairement dans toute sa terrible puissance : lorsque la dernière plante se fut desséchée,
quand le vent aplatit le terrain, voilà que la lettre S,
marquée par le pied du voyageur offensé, réapparut
exactement comme avant, plus nette qu'avant. Et alors
Gesuina Líndiri montra le ciel du doigt et courut commander une neuvaine pour la Madone de la Miséri-
corde. Puis elle implora son fils pour qu'il aille chez
Felice Stocchino et fasse amende honorable, avec du
sel et du café et du sucre pour la famille qui avait des
bouches à nourrir...

Elle, la veuve Cocco, racontait des choses pour
dépouiller Políto Saverio du silence dont il s'était
revêtu. La veuve parla du massacre, et elle ne savait
même pas pour quelle raison. Lui, Políto, il l'observait
avec sa bouche serrée comme s'il voulait guider ses
propos uniquement par son regard. En effet, elle finit
par parler précisément de la nuit de la Saint-Sébastien.
En somme, cette histoire du tonnelier avait vraiment
été une très sale affaire : toute la famille exterminée.

Tous morts...

V.
(Où l'on raconte l'origine risible de tout)

L'hiver de la montagne était une torture d'épingles, c'était une plaque glacée posée sur le dos, c'était une clarté marmoréenne de morgue. Il avait choisi de se déplacer la nuit, sous le froid sec, parce que dans ces lieux-là l'homme qui s'en va seul dans la nuit est regardé avec respect : c'est un homme digne de respect. En laissant derrière lui les quelques maisons du village, il avançait en se plongeant dans la campagne qui fouille du groin, qui crépite. Il s'était engagé sur le sentier des nuraghes, afin d'éviter la route postale, la nouvelle route publique qui raccourcissait les distances. La lune basse, pleine d'elle-même, dessinait sur son visage une ombre très obscure. Mais lui, Saverio Políto, il laissait faire, parce que de la maison de la veuve Cocco, où il était en pension, jusqu'à la maison du massacre, il y avait peu de chemin à faire.

Accompagné du souffle nauséabond des térébinthes, annoncé par l'éclat scintillant des fers de son cheval sur la chaussée de granit, il vit le lieu. C'était une maison de campagne basse entourée d'un muret de pierres sèches. Sans descendre de cheval il dépassa la petite grille arrachée, qui avait autrefois établi l'entrée de la propriété. Puis, en soufflant son haleine chaude sur ses poings fermés, il regarda autour de lui. Un chien maigre, un chien sans maître, vint à sa rencontre de l'arrière de la maison. Le commissaire spécial descendit de cheval pour caresser ses poils emmêlés, il sortit de la sacoche de la selle un bout de pain et une croûte de fromage. L'animal le regarda quelques instants avant d'avaler le cadeau imprévu, mais Saverio Políto était déjà en train d'allumer la lampe à acétylène qui avait fait partie de son équipement d'Ardito, de soldat des troupes de choc. Une petite porte en bois hors de ses gonds était appuyée au mur, où s'ouvrait la bouche noire, grande ouverte, de l'entrée de la maison. Le cône lumineux de la lampe pénétra dans la pièce un pas devant lui, éclairant la désolation de la maison du tonnelier. Abandonnée à son destin. Dans une solitude de cimetière, comme l'avait dit la veuve Cocco, en se signant très vite. Parce que trop de morts il y avait eu dans cette maison, et tous à rôder à travers les pièces, en demandant une raison pour cette boucherie, la nuit de *santu Sebaste*, de la Saint-Sébastien. Même les parents du tonnelier n'avaient rien voulu entendre quant à prendre ces murs, ils n'avaient même pas voulu le terrain : que les corbeaux le gardent, que le vent le mange et grand bien vous fasse. Ainsi, dans les dernières années les cochons y avaient habité, quelque voyageur s'en était servi comme refuge, les enfants y avaient joué...

Saverio Políto chercha à concevoir l'espace autour de

lui : il vit la cage de l'escalier qui s'élevait à deux mètres de l'entrée, il sentit sous ses lourds brodequins le carrelage défoncé. Il éclaira une partie du mur de l'escalier marqué d'une longue traînée rouillée. Il s'agissait sans doute du sang de la fille aînée du tonnelier, tuée alors qu'elle essayait de s'enfuir. C'est du moins ce que l'on raconte... Parce que, dans ces cas, dans ce maudit trou, ça n'arrête pas de parler sans rien dire.

Cette histoire du sang, par exemple...

Ce fut alors qu'il entendit un bruit, mais on ne pouvait pas dire que ce fût un signal de danger : une chose que l'on apprend à la guerre est qu'il existe des bruits dangereux et des bruits inoffensifs. Ce que Políto entendait en ce moment, c'était une faible respiration. Il tourna la lampe dans la direction de cette respiration. Dans un coin de la grande pièce que quelques bergers avaient utilisée pour y bivouaquer à l'abri, voilà un amas de guenilles : deux brodequins, deux jambes enveloppées dans les bandes molletières gris-vert.

« Caporal Políto... murmura une voix.

– Caporal Stocchino... » répondit Políto, en braquant sa lampe vers la voix.

Éclairé par la lame de lumière, le visage de Samuele apparut comme imprimé sur une toile blanche. Ses yeux avaient un air spectral, la bouche n'était qu'un fil, comme une blessure entre le nez et le menton. On comprenait en cet instant quelle ténacité fébrile le gardait en vie.

« Sergent, dit-il à peine. Ils m'ont fait sergent. »

Políto fit signe que oui. « Lieutenant. Ils m'ont fait lieutenant.

– Ils vous ont envoyé me chercher, mon lieutenant ? »
demanda Samuele du fond de la pièce.

Encore une fois Políto fit signe que oui. « Vous nous
avez donné du mal, dit-il.

– Je vais mourir, dit l'autre, avec simplicité. Il me
reste peu, mon lieutenant. »

Políto, voyant que Stocchino tremblait, regarda autour
de lui. Dans le mur, il y avait le squelette d'une cheminée : il chercha quelques morceaux de bois sec pour
allumer un feu. À la lumière de la flamme le visage de
Samuele prit quelques couleurs.

« Vous ne les entendez pas ? » s'exclama-t-il à un
moment donné.

Políto affina son ouïe, mais il n'entendait rien, alors il
secoua encore la tête.

« C'est plein de voix, ici... Plein de voix... C'est pour
ça que j'y viens... »

La nuit du massacre. La pleine lune était restée ainsi
en train de boire l'horizon découpé comme le bord
d'une coquille d'œuf cassée en deux, paresseuse d'une
paresse comme la Mort, comme si elle était dans son
premier sommeil.

La maison du tonnelier dix-huit ans après. Cela avait
un sens, pensa en lui-même Samuele, dans l'origine des
choses on peut souvent en trouver la fin. C'est ainsi que
ça se passa : dans le désespoir, la folie fait son nid.
20 janvier 1920. Saint Sébastien, martyr transpercé.

Combien de temps il avait rôdé autour de la maison
silencieuse, c'est impossible à dire. Mais il n'est pas
impossible de comprendre avec quel désespoir Samuele

a cherché à donner un nom à ce qu'il croyait devoir faire. Il avait bataillé avec lui-même comme lui seul savait le faire, sans chercher trop à se cacher, en se provoquant, en se disant que c'était lâche de briser le sommeil de son propre ennemi. Puis il avait vu le S sur le terrain. Ces choses, peuvent-elles arriver ? Peut-il arriver qu'une marque faite avec la pointe du brodequin reste enfoncée pendant presque vingt ans sur le terreau friable ? Cette marque lui fit comprendre définitivement la raison pour laquelle il rôdait autour de cette maison. Il y avait un silence artificiel, même les chiens, flairant l'odeur de bête, s'étaient rencoignés dans leurs niches. En sautant par-dessus le muret d'enceinte, il parvint à l'arrière de la maison.

La petite porte qui donnait sur le jardin céda avec peu d'effort et aucun bruit. Dans la maison il fut accueilli par un chat qui, très silencieux, se frotta contre ses jambes et par une odeur très amère de feu *stutato*, de feu éteint, qui venait de la cuisine. Il y entra, par les fenêtres filtraient des faisceaux de lune qui éclairaient la pièce simple, propre. Sur le plateau en marbre d'une table il y avait une cruche pleine d'eau et un verre. Samuele se versa de l'eau et l'avala d'un trait.

Et du néant de la cage de l'escalier la jeune fille apparut. Et elle pensa sans doute à quelque apparition, parce qu'elle n'eut pas le temps de hurler ou de crier au secours. La lame éteignit toute réaction en train de se préparer en elle... Ce qu'elle vit ce ne fut qu'un soldat, un adolescent en uniforme, mais quel sens y a-t-il à décrire ce que par ailleurs on n'a pas le temps de raconter ? Pasquina Boi, fille cadette d'Emerenziano tonnelier, 14 ans, s'éteint ainsi, sans bruit. Elle tombe par terre dans un silence ouaté. Samuele doit l'enjamber pour rejoindre l'escalier, puis l'étage supérieur. Aucune légende ne pourrait décrire avec quelle détermination extraordinaire il a décidé de s'offrir lui-même à l'horreur de soi-même. Il comprend cela, que la voix qui est en train de hurler en lui est celle de son ennemi, et il sait aussi qu'il ne cessera pas de hurler après la mort du tonnelier ou de tous les autres, car les vies ne s'achèvent pas avec la mort. Il grimpe l'escalier avec tous ses morts derrière lui. Et chaque marche est un pas vers la fin. Felice mort sur sa chaise dans la cuisine. Gonario mort par la bêtise du Hasard. Et grand-mère Basilia morte un point c'est tout. Et Ignazia... *Ojai, ojai...* aïe, aïe... *A punta 'e torrare*, sur le point de revenir.

Aussi, très silencieusement, il ouvrit grand la première porte du couloir et il sauta sur le lit : Giuseppe Boi, 30 ans, troisième fils du tonnelier, et sa femme Barbara Patteri, 27 ans, passèrent du sommeil à la mort, qu'ils soient bénis. Et ça fait trois.

La seconde porte grinça à peine, c'était un office qui sentait bon les saucisses et les fromages, il sentait aussi les fèves et les figues sèches. Personne ne dormait dans la corne d'abondance. Felice et Gonario lui murmurèrent de s'arrêter, lui murmurèrent de regarder cette abondance comme le signe d'une possibilité de Paradis, mais il crut bon de ne pas écouter cette imploration, parce qu'il lut vraiment cette abondance comme l'expression de tout ce qu'on lui avait arraché. Même l'ombre de Basilia se plaignit auprès de ce petit-fils qui ne voulait même pas écouter les mots de celle qui l'avait aimé sans le connaître. Il entra dans la chambre qui avait été celle de Gesuina Líndiri veuve Boi, la mère matriarcale. Et il vit des choses qu'il n'aurait pu voir, c'est-à-dire les derniers instants de la vieille sur son lit, quand elle recommandait encore d'effacer la lettre que Felice Stocchino de ceux des Crabile avait marquée avec son pied devant leur maison. Mais à présent, dans ce lit, dormait une jeune fille. La pleine lune éclairait son profil. Samuele la regarda et ce fut là une erreur, il savait que la regarder signifierait se voir dans le miroir de l'horreur de ce qu'il allait accomplir. Et en effet, il le comprit quand Luigia Marianna Boi, la fille aînée du tonnelier, ouvrit les yeux. Elle pensa que ce qu'elle avait devant elle n'était autre que l'incarnation du cauchemar avec lequel elle avait grandi. Tout le monde disait que le monstre Stocchino rôdait habillé en soldat, comme un horrible pantin avec sa pèlerine gris-vert. *Poi narant ch'issa, a unu certu puntu, s'in d'este abbizzada chi cussu chi bidiat*, puis on raconte qu'elle, à un certain moment, s'est avisée que ce qu'elle voyait n'était pas un rêve. Et on raconte qu'elle a lâché une plainte et que lui a fait un sifflement léger en ramenant son doigt devant ses lèvres comme pour la prier de *s'istare muda*, de rester muette : chhhhh. Mais Luigia Marianna ouvre la bouche pour crier et alors Samuele la poignarde dans la bouche. La femme a comme un sourire très large et se met debout et lui échappe presque, Samuele est obligé de la poursuivre et de la saisir par l'épaule pour qu'elle se retourne et qu'il reprenne son couteau. Elle répond par un gargouillement, elle sent qu'elle vomit du sang, aussi elle met une main devant sa bouche et fait encore deux ou trois pas vers le couloir. Mais tout est inutile, en tombant elle laisse une queue de paon rouge sur le mur. Samuele se met à penser que ce qu'il est en train de consommer est une manière de reconduire son existence à une hypothèse de bonheur. Il ne suffit pas d'appeler rage ce qu'il sent en lui. *Este comente in gherra : s'omine rughet a terra e mancu unu muttu...* C'est comme à la guerre : l'homme tombe à terre et c'est fini, pas même une plainte... Il arrivait ainsi qu'au milieu du fracas des mortiers dans les tranchées, quand la terre tremblait en réponse au coup et que toute perception possible disparaissait pendant une fraction de seconde, eh bien, c'était là qu'on tombait : en regardant autour de soi à cet instant de silence on pouvait voir, dans l'automne des corps mortels, les soldats tomber à terre comme des cartes lancées tout autour de lui par un joueur perdant. Le chiffre de l'abomination est le silence, renverser le monde signifie mourir en silence. Dans la maison d'Emerenziano Boi l'horreur était le silence avec lequel Pasquina, Giuseppe, Barbara, Luigia Marianna avaient quitté ce monde.

Enfin, la chambre des maîtres. La pleine lune dessinait sur les murs les ombres allongées des têtes de lit gothiques. Samuele entra, s'assit sur une chaise dans un coin pour regarder le patron, et la patronne, dormir du sommeil des justes. Ils ne savaient même pas quelle horrible spirale ils avaient enclenchée. Et c'était là peut-être leur délit le plus grave, se faire instruments désarmés du mal. Les voilà qui dormaient, ils pouvaient dormir, et pourtant longtemps avant ils avaient refusé de l'eau au voyageur. Maintenant l'essentiel était : que faire ? La juste vengeance eût été de les laisser dormir, les faire vivre pour qu'ils découvrent le carnage à leur réveil. Mais cela eût été de la cruauté. Aussi dégourdit-il sa main droite pour saisir la baïonnette...

« Ç'eût été de la cruauté ? » répéta Políto incrédule.

Samuele fit signe que oui. « C'était pire de les laisser vivants. » Puis il se leva. Il était aussi fragile et squelettique qu'un pendu qui serait resté exposé au vent. Políto le dépassait de plusieurs centimètres, et pourtant ils réussirent à se regarder dans les yeux. « Je ne veux pas être pardonné et je ne veux pas pardonner. » La lumière de la lampe lui donnait un aspect doré. Il était transparent et blondâtre, il avait les yeux couleur de miel, il avait la bouche d'un violet à peine marqué, il avait la fièvre du moribond. Políto sourit légèrement. « J'ai encore des parents, dit Samuele. Si ça pouvait être eux qui me dénoncent...

– Si c'étaient eux qui vous dénonçaient, ils pourraient prétendre à la prime. Mais pas toute, cette prime n'existe pas, sergent, cette prime sert pour l'Honneur... C'est du théâtre...

– D'accord, répondit Samuele. C'est juste, cette prime sert pour l'Honneur...

– Vos parents auront de quoi vivre avec dignité », lui assura Políto.

Mais il ne parlait à personne, Samuele avait disparu, entre le déplacement et le redressement du rayon lumineux de la lampe que tenait Políto. Políto regarda autour de lui.

Il hurla dans le vide.

Samuele attendit d'être seul avec l'if ombreux, il attendit un coup de vent qui ébouriffât les aulnes. Il attendit de pouvoir affronter toute cette immense poésie d'ancolies. Puis il arriva devant sa caverne, avec le ciel de l'Ogliastra qui semblait se poser sur ses épaules. Et il s'aperçut que l'espace devant lui, au-dessus de lui, au-dessous de lui était devenu une immensité concrète. Il s'aperçut qu'à l'intérieur de cet enchevêtrement, à l'intérieur de ce plein, de ce vide, il était possible de donner un nom aux choses : à l'odeur des plantes, à la clarté du givre, au bruit des feuilles mortes. Oh! il s'aperçut que ce bois n'était pas un bois, mais la porte d'un vide abstrait, connu pourtant et intangiblement corporel, comme la mémoire de quelque chose que l'on a été et que l'on n'est plus désormais. Comme une certitude refoulée. Un lieu d'où nous, corps mortels, avons été expulsés, un paradis que nous n'avons pas mérité. Combien d'enfants pouvaient dire qu'ils étaient retournés à leur mère ? Hein ? Combien pouvaient sentir leur corps comme le résultat des sucs de cette terre ? C'eût été une mémoire terrible. L'inexplicable. Là, pendant un instant à peine, tout fut clair, et la distance fut claire, et l'attente fut claire, et clairs furent les temps et les lieux. Là, à l'intérieur de cette mémoire du vide, quand il semble que tout sera et que, au contraire, tout a été, Samuele Stocchino réussit à pleurer.

Et le chasseur se sentit brusquement en proie à un sentiment fatal d'inutilité. Ce sentiment qu'il avait souvent vu à la guerre dans les yeux des fantassins sauvages, nés et envoyés à la mort, suivant la parabole de l'insecte parasite. Voilà, à présent il sentait sur lui exactement cette inutilité. Comme si pendant toute sa vie il s'était refusé à comprendre que la conscience est une malédiction. Que ces fantassins insectes naissaient et mouraient dans la terre qui les avait engendrés, fruits d'une sagesse à laquelle il n'avait pas eu accès, jamais avant cet instant précis.

Puis il comprit que même cette conscience était tout à fait inutile, maintenant qu'il allait mourir.

Le jour suivant un jeune homme se présenta à la propriété de Cosimo Siotto, où Políto négociait un lot de semences argentines. Le jeune homme, habillé traditionnellement, resta longtemps à attendre que les tractations arrivassent à bonne fin. Puis, quand il vit que Políto s'approchait de son cheval, il fit bouger ses sourcils pour se faire remarquer. Políto l'avait remarqué depuis longtemps, mais s'il y avait quelque chose qu'il avait appris des Sardes, c'était bien qu'il ne fallait jamais, au grand jamais, accorder à cela aucune sorte d'avance. Aussi, en le contrôlant du coin de l'œil pendant qu'il poursuivait sa farce du représentant de graines et de semences, il avait décidé de le faire attendre.

Il répondit enfin à ce signe. Le jeune homme s'approcha. Et il se présenta : Carta Vittorio de Daniele : « Qui vous savez m'a donné ça pour vous le remettre », dit-il en tendant une enveloppe fermée sur laquelle on reconnaissait l'écriture pointue de Samuele. Políto la saisit et la mit dans sa poche sans la lire.

Quand il l'ouvrit, il trouva exactement ce qu'il attendait : un jour, un lieu et l'esquisse d'un plan.

La veuve Cocco souffla sur le bout de ses doigts brûlés par les châtaignes trop chaudes. Et elle sourit d'un sourire surpris : comment ça, s'en aller rôder la nuit, et jusqu'à la maison du tonnelier, en plus ? Saverio Políto la regarda en savourant la lenteur de sa propre réponse. Il dit que le récit du massacre l'avait frappé à tel point qu'il voulait y aller en personne. Et qu'avait-il pu voir là-bas ?... réfléchit à haute voix la veuve Cocco : rien que des décombres... rien que des décombres...

« Mon travail est fini, annonça Políto brusquement. Trois jours, tout au plus... »

La femme le regarda, tout commentaire mourut au bord de ses lèvres, un instant avant de tomber.

« Je conclus une commande, clarifia Políto. Puis... je pars. »

La veuve Cocco fit un signe affirmatif, comme s'il s'agissait de quelque chose qu'elle savait, mais il n'en était pas ainsi : elle n'avait pas vraiment pensé à l'éventualité que cet homme pût partir. Et elle sourit un peu d'elle-même pour cette erreur. « Avez-vous besoin que je vous lave quelque chose avant votre départ ? » demanda-t-elle. Políto répondit que non. « Comment arriver au lieu-dit S'Argiola 'e sa Perda ? » demanda-t-il après quelques instants en prononçant un sarde embarrassé mais précis, comme quelqu'un qui a appris par cœur. La veuve Cocco le regarda : « Ce n'est pas difficile », répondit-elle.

Épilogue
(Avec tristesse pour l'adieu,
mais soulagement pour la fin)

À cinq heures du matin, le maréchal Palmas est de mauvaise humeur. D'autant plus qu'ils le chargent, oui, c'est vraiment ça, ils le chargent sur une espèce d'automobile résidu de guerre avec le caporal Butto, en qualité de chauffeur, et le commissaire Políto. Derrière, dans la voiture de la préfecture, voyage le préfet Dinale en personne. C'est un matin gris, de ceux dont on se souvient dans l'enfance à cause de leur odeur. C'est un matin dont l'odeur est le froid, quelle que soit la saison. En effet le maréchal frissonne en se souvenant du nombre de matins de ce genre qu'il a hantés pour aller traire.

Le tacot toussote en se traînant dans les tournants qui conduisent à Gairo. Le maréchal regarde le caporal Butto qui conduit très concentré. Políto regarde devant lui, il a une détermination très amère dans le regard, sur cette route infernale, étroite et enchevêtrée comme une pelote de laine avec laquelle le chat a joué.

« Avec tout mon respect, Excellence », dit le maréchal à un certain moment. Políto se retourne un peu pour le laisser poursuivre. Et Palmas poursuit : « Comment vaincre si nous avons encore des routes comme celle-ci ? »

Políto acquiesce en esquissant un sourire.

On grimpe vers les six cents mètres, à présent, puis, tout de suite après la pointe Su Scrau, on commence à descendre jusqu'à aboutir à un croisement : Ulassai et Jerzu, tout droit, Ussassai à droite, Cardedu à gauche. Políto s'apprête à demander s'il y a une erreur dans ces deux panneaux presque identiques, Ulassai, Ussassai, mais Butto le précède avec un petit rire, puis il dit qu'ils sont arrivés.

Ou plutôt, presque arrivés, pour S'Argiola 'e sa Perda il faut marcher encore une petite demi-heure. Aussi laissent-ils les voitures sur le bord d'une route blanche et ils commencent à marcher, au grand soulagement du maréchal Palmas. Le préfet Dinale préfère attendre dans sa voiture.

Le plan en possession de Políto semble conduire à une caverne, Palmas en a entendu parler, mais ne l'a jamais vue, Butto n'en sait guère plus. Le dessin tracé sur la feuille offre une précision imprévue : en tournant à la hauteur d'un if séculaire avec quatre énormes racines qui sortent du sol, et en faisant une vingtaine de pas en suivant la racine la plus grosse, on atteint une zone rocheuse presque entièrement cachée par la végétation. Políto met la main sur son pistolet, Palmas et Butto chargent leurs fusils, parce que, justement là où elle est marquée, se trouve l'entrée grande ouverte de la grotte.

L'intérieur de la grotte scintille de manière surprenante. Lumineuse d'un nombre imprécis de torches qui donnent une lumière ambrée et instable. Tout à l'intérieur a été comme nettoyé par une main amoureuse, il y a des chaises, et des coffres, et une table dressée, un garde-manger, et un crucifix, et une série de chemises bien repassées placées sur un prie-dieu. Il y a des piles de magazines et un bureau, avec une plume, un encrier et des feuilles. Il y a la photo encadrée d'une jeune fille souriante, et une plume d'autruche gris perle passée dans le crochet du cadre.

On entre le cœur battant dans le ventre de cette terre. Aucun bruit, rien de rien. Le goût seul d'une vie cachée, souterraine justement. La grande pièce illuminée s'étrangle dans un boyau où l'on ne parvient à passer qu'en file indienne. Le maréchal Palmas n'ose pas ouvrir la bouche, il a très bien compris où ils ont abouti, tout comme Butto l'a compris, mais l'un et l'autre hésitent à s'engager dans le chemin rétréci, et Políto les dépasse...

C'est ainsi qu'il le trouve : il y a un lit, là-dedans, et une table de chevet, et le trépied pour une cuvette et son miroir, et sur l'étagère en marbre du trépied tout le nécessaire pour se raser... Par terre, à côté du lit, il y a différents livres, et sur le lit Samuele. Políto presse son artère jugulaire avec l'index pour s'assurer définitivement de ce qu'il a compris tout de suite.

« Mort », dit-il pour rassurer Palmas et Butto qui n'ont pas encore osé entrer dans cet espace.

Palmas et Butto se regardent déconcertés.

À présent les trois hommes le transportent sur le terrain découvert devant la grotte. Políto le soutient par les aisselles et Palmas et Butto par les jambes comme lorsque, enfant, il avait été trouvé vivant dans une crevasse. Cette circonstance revient à l'esprit de Palmas comme un souvenir de sa jeunesse : on venait juste de le faire brigadier, à cette époque, et il croyait que pour changer les choses il suffisait de le vouloir. Butto pense que c'est extraordinaire de pouvoir toucher ce corps intangible et il lui semble prosaïque que l'immortel soit au contraire définitivement mort. À présent, ils courent dans le bois et ils s'essoufflent au-dessus du cadavre, parce que cette loque humaine, avec sa lèvre saignante, qui semblait aussi frêle qu'un roseau sur son lit de mort, est bien plus lourde que prévu maintenant qu'il faut la transporter.

La terre de S'Argiola 'e sa Perda est violette comme un foie de bœuf ou comme les voiles des pleureuses orientales, violette comme le sang quand il devient crémeux... Violet de la couleur de la réalité que nous désirons toujours rêver parce que ce que l'on voit est terrible, plus terrible que n'importe quel rêve. Cette terre est bien plus qu'une terre, elle est le rêve d'une terre. C'est un fond glissant, le lit humide d'un ruisseau de campagne...

Ils marchent en traînant le corps inerte de Samuele, Palmas, Butto et Políto, et plus ils avancent, plus le terrain reprend le corps en le happant vers le bas. Maintenant, en négligeant toute précaution, le souffle coupé, ils traînent presque le corps contre les pierres, contre les buissons bas, les orties, les chardons, les pousses. Cette charge traînée, ce halètement, ce relâchement, cette désarticulation lente des coudes et des genoux,

MÉMOIRE DU VIDE

qui doucement cèdent à la traction, voilà : c'est tout cela
qu'ils voient de l'immortel, de Samuele Stocchino.

Une fois atteint le centre d'une clairière Políto leur
fait signe de le lâcher. Avant de l'emmener hors de la
caverne ils l'ont revêtu de sa pèlerine de fantassin. Ils
l'étendent à un endroit précis indiqué par Políto de
manière à ce qu'il semble à demi caché par un buisson.
Políto contrôle la scène, puis, s'adressant au caporal
Butto, il dit : « Vous pouvez tirer, maintenant. »

Butto le regarda comme s'il n'avait pas compris ce
qu'il avait au contraire trop bien compris. « Tirez sur
lui, caporal », répéta Políto. Butto fit automatiquement
signe que non de la tête. « Tirez sur cet homme ! » cria
Políto. Cette fois Butto pointa son fusil et tira avec un
bras qui tremblait de façon manifeste. Le coup pénétra
dans l'oreille du cadavre, en le faisant rebondir, mais
sans qu'il y ait sortie de sang. Butto alors lâcha son
fusil et s'enfuit vers les rochers pour vomir. Le maréchal Palmas le regarda en tremblant, mais il saisissait
qu'il y avait une compréhension amère, et presque de
la bienveillance, dans toute cette profanation. Mais
quand Políto regarda Palmas, le maréchal fit un pas en
arrière et secoua la tête. Políto, alors, lui arracha le
fusil des mains, puis rejoignit le cadavre et le retourna
face à terre, puis tira deux fois. Le premier coup
pénétra dans les reins en faisant faire au cadavre un
étrange sursaut, jambes écartées. Le second perfora la
cuisse.

« Celui-ci, alors, évidemment dans l'impossibilité de bouger à cause des blessures reçues à la cuisse et aux reins, et ayant désormais fait exploser les six cartouches du chargeur dont était pourvu sa carabine, prit dans un sac en cuir, qu'il portait en bandoulière, un autre chargeur. Nous, caporal Butto, profitant alors de l'impossibilité dans laquelle le malfaiteur se trouvait d'utiliser sa propre carabine à ce même moment, sortant de notre cachette, nous nous sommes approché à cinq mètres environ de lui et, pointant contre lui notre carabine en direction de la tête, nous avons laissé partir un coup qui a blessé le délinquant à l'oreille gauche, en le faisant s'abattre, devenu cadavre, sur le sol.

– Cadavre sur le sol », dit en écho le greffier pour faire comprendre que Políto pouvait recommencer à dicter. Le préfet Dinale, sans expression, fumait un cigare, debout devant la fenêtre entrouverte de son bureau.

« Une fois vérifiée la mort du malfaiteur, nous, maréchal Palmas, avons pris des mesures pour assurer la surveillance du tué qui aussitôt, grâce à l'indicateur Carta Vittorio, a été identifié comme le susdit Stocchino Samuele, en fuite.

– Carta Vittorio ? interrompit le greffier en regardant le préfet Dinale. Je vous fais remarquer que Carta Vittorio serait de la sorte l'ayant droit de la mise à prix sur Stocchino. »

Políto fit un signe d'impatience, Dinale invita son subordonné à poursuivre, mais ce dernier, opiniâtrement, insista : « Carta Vittorio est un cousin au premier degré de Stocchino, de la sorte la prime... Excellence », implora-t-il en s'adressant à Dinale. Políto frappa un coup de poing sur la table. Le greffier sursauta, Dinale lui fit signe de poursuivre.

« Où en étions-nous ? demanda Políto d'un air las.

– ... a été identifié comme le susdit Stocchino Samuele, en fuite... martela le greffier très irrité.

– Nous avons donc envoyé sans tarder au poste du Corps des Carabiniers de Gairo, le plus proche du lieu, le carabinier Tore Antonio...

– Qui n'est pas présent, essaya encore le greffier. Il s'agirait d'un faux à tous égards ! s'exclama-t-il en révélant une perspicacité vraiment remarquable.

– ... pour les informations prescrites aux supérieurs hiérarchiques et à l'autorité judiciaire ! hurla Políto. Cette dernière, parvenue dans la soirée à l'endroit pour les vérifications de sa compétence, a ordonné sans délai l'enlèvement du cadavre qu'elle a identifié réellement comme étant celui du très dangereux fugitif Samuele Stocchino de Felice, âgé... Âgé de... ? » demanda Políto en s'adressant aux autres.

Dinale ouvrit les bras.

« 39 ? répondit le greffier par une autre question.

– Écrivez 39. Âgé de 39 ans, d'Arzana. »

Ainsi ont-ils dit que Samuele était mort. Mais allez le dire aux gens, qu'il était mort. Lui, non. Lui, il avait fait tout le parcours du saint. Comme il est écrit dans les hagiographies : pécheur dans sa jeunesse, *braghittalligru, bumbone, balente e bragheri*, braguettallègre, alcoolique, téméraire et plein de morgue ; mystique à l'âge adulte, *bellu, bonu, balente e birtudosu*, beau et bon, vaillant et vertueux.

Il avait été sous la terre, mort et enseveli, puis ressuscité.

Lui, mort ? Non. Lui, vraiment, non. Et faites-en ce que bon vous semble.

Avertissement

Samuele Stochino est un personnage historique en même temps que légendaire.

Samuele Stocchino (avec deux *c*) est le personnage doublement légendaire évoqué dans ces pages.

Ce que vous avez lu n'est pas la vérité. Les noms réels et les faux noms servent à la tromperie du récit, feignant que soit vrai ce qui ne l'est qu'en partie, ou qui ne l'est pas du tout.

Je remercie Franco Fresi et Lina Aresu, sans la vérité desquels je n'aurais pu inventer cette histoire.

M. F.

Table

RÉALISATION PAO ÉDITIONS DU SEUIL
IMPRESSION : NORMANDIE ROTO IMPRESSION S.A.S. À LONRAI (ORNE)
DÉPÔT LÉGAL : AOÛT 2008. N° 93403 (08-1985)
Imprimé en France

OUVRAGES DE LITTÉRATURE ITALIENNE AU SEUIL

CARMINE ABATE
La Ronde de Costantino, 2002
La Moto de Skanderbeg, 2003
Entre deux mers, 2004
La Mosaïque de la Grande Époque, 2008

ERALDO AFFINATI
Terre du sang, 1999

L'ARIOSTE
Roland furieux, 2000

SILVIA BALLESTRA
La Route de Berlin, 1993
La Jeunesse de Mademoiselle X, 2002
Les Ours, 2002
Nina, 2003

FRANCESCO BIAMONTI
Attente sur la mer, 1996
Les Paroles la nuit, 1999

LUTHER BLISSETT
L'Œil de Carafa, 2001

GINEVRA BOMPIANI
L'Âge d'argent, 2000
coll. « Solo »
Le Portrait de Sarah Malcolm, 2003
coll. « La Librairie du XXIᵉ siècle »

GIUSEPPE BONAVIRI
La Ruelle bleue, 2004
L'Histoire incroyable d'un crâne, 2007

SILVIA BONUCCI
Retours à Trieste, 2007

ENRICO BRIZZI
Jack Frusciante a largué le groupe, 1997
et coll. « Points », n° P482
Bastogne, 1998

ROMOLO BUGARO
Les Désemparés, 2000

ITALO CALVINO
Le Baron perché, 1960
et coll. « Points », n° P232
Le Chevalier inexistant, 1962
et coll. « Points », n° P2
Aventures, 1964
éd. augmentée, et coll. « Points », n° P475
La Journée d'un scrutateur, 1966
et coll. « Points », n° P346
Cosmicomics, 1968
et coll. « Points », n° P416
Temps zéro, 1970
et coll. « Points », n° P440
Les Villes invisibles, 1974
et coll. « Points », n° P273
Le Château des destins croisés, 1976
et coll. « Points », n° P476
Si par une nuit d'hiver un voyageur, 1981
et coll. « Points », n° P90
La Machine littérature, 1993
coll. « La Librairie du XXᵉ siècle »
Palomar, 1985
et coll. « Points », n° P391
Collection de sable, 1986
et coll. « Points », n° P486
Sous le soleil jaguar, 1990
et coll. « Points », n° P392
La Spéculation immobilière, 1990
et coll. « Points », n° P743
La Route de San Giovanni, 1991
et coll. « Points », n° P570
Pourquoi lire les classiques, 1993
coll. « La Librairie du XXᵉ siècle »
et coll. « Points », n° P191
La Grande Bonace des Antilles, 1995
et coll. « Points », n° P427
Cosmicomics. Récits anciens et nouveaux, 2001
Nos ancêtres, 2001
Ermite à Paris, 2001,
Aventures, 2001
éd. illustrée par Yan Nascimbene
Leçons américaines
coll. « Points », n° P873

Palomar, 2003
éd. illustrée par Yan Nascimbene
Défis aux labyrinthes. Textes et lectures critiques (2 tomes), 2003
Le Baron perché, 2005
éd. illustrée par Yan Nascimbene
Romans, nouvelles et autres récits (2 tomes), 2006

OTTAVIO CAPPELLANI
Sicilian Tragedy, 2008

RITA CHARBONNIER
La Sœur de Mozart, 2006

VINCENZO CONSOLO
Ruine immortelle, 1996
Le Palmier de Palerme, 2000
De ce côté du phare, 2005

DANIELE DEL GIUDICE
Atlas occidental, 1987
Quand l'ombre se détache du sol, 1996
coll. « La Librairie du XXᵉ siècle »
L'Oreille absolue, 1998
coll. « La Librairie du XXᵉ siècle »
Dans le musée de Reims, 2003
coll. « La Librairie du XXIᵉ siècle »

FRUTTERO & LUCENTINI
La Femme du dimanche, 1973
et coll. « Points », n° P148
Je te trouve un peu pâle, 1982
Place de Sienne, côté ombre, 1985
et coll. « Points », n° P358
La Couleur du destin, 1990
et coll. « Points », n° P275
L'Affaire D. ou le Crime du faux vagabond, 1991
(en collaboration avec Charles Dickens)
et coll. « Points », n° P112
Ce qu'a vu le vent d'ouest, 1993
et coll. « Points », n° P14
Brève Histoire des vacances,
coll. « Point-Virgule », n° V158

CARLO EMILIO GADDA
L'Affreux Pastis de la rue des Merles, 1963
et coll. « Points », n° P593

La Connaissance de la douleur, 1983
coll. « Le Don des langues »
et coll. « Points », n° P973
L'Adalgisa. Croquis milanais, 1987
coll. « Le Don des langues »
Les Colères du capitaine en congé libérable et autres récits, 1989
coll. « Le Don des langues »
Des accouplements bien réglés, 1989
coll. « Le Don des langues »
La Mécanique, 1992
coll. « Le Don des langues »
La Madone des philosophes, 1993
coll. « Le Don des langues »

GIOVANNI GUARESCHI
Don Camillo, 2003
Le Petit Monde de don Camillo, nouvelle édition, 2007

DACIA MARAINI
Le Bateau pour Kôbé, 2003
Retour à Bagheria, 2004

MICHELE MARI
Tout le fer de la tour Eiffel, 2005

ANTONIO PASCALE
L'Entretien des sentiments, 2006
La Ville distraite, 2006

PIER PAOLO PASOLINI
Lettres luthériennes. Petit traité pédagogique, 2000
coll. « Solo »
et coll. « Points », n° P970

SANTO PIAZZESE
Le Souffle de l'avalanche, 2005

GIUSEPPE PONTIGGIA
Nés deux fois, 2002

ELISABETTA RASY
Trois Passions, 1997
Pausilippe, 1998
La Citoyenne de l'ombre, 2001
Entre nous, 2004
La Science des adieux, 2007

UMBERTO SABA
Ernesto, 1978

ITALO SVEVO
Senilità, 1960
coll. « Le Don des langues »
et coll. « Points », n° P290
Le Bon Vieux et la Belle Enfant, 1963
coll. « Le Don des langues »
et coll. « Points », n° P291

ANTONIO TABUCCHI
Les Trois Derniers Jours de Fernando Pessoa. Un délire, 1994
coll. « La Librairie du XXᵉ siècle »
La Nostalgie, l'Automobile et l'Infini. Lectures de Pessoa, 1998
coll. « La Librairie du XXᵉ siècle »
La Tête perdue de Damasceno Monteiro, 1999
coll. « Points », n° P609
Le Petit Navire
coll. « Points », n° P791
Autobiographies d'autrui, 2003
coll. « La Librairie du XXIᵉ siècle »
La Nostalgie du possible. Sur Pessoa
coll. « Points », n° P1080
Au pas de l'oie. Chronique de nos temps obscurs, 2006
coll. « Débats »

GIUSEPPE TOMASI DI LAMPEDUSA
Le Guépard, 1959 ; nouvelle édition, 2007
et coll. « Points Grands Romans », n° 260
Le Professeur et la Sirène, 1962
et coll. « Points », n° P975

MARCO TULLIO GIORDANA
Pasolini, mort d'un poète, 2005